10-14

SOPHIE SCHOLL

Die weiße

HANS SCHOLL

EDITED BY **ERIKA MEYER**
MOUNT HOLYOKE COLLEGE

Rose

BY INGE SCHOLL

HOUGHTON MIFFLIN COMPANY

BOSTON · NEW YORK · CHICAGO · DALLAS · ATLANTA
SAN FRANCISCO · The Riverside Press Cambridge

Under the Editorship of

William G. Moulton

Cornell University

DD
256.3
.S3

The Riverside Press
Cambridge, Massachusetts
Printed in the U.S.A.

CONTENTS

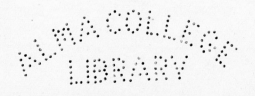

PREFACE

Die weiße Rose is not a pretty, romantic tale, as the title
might lead one to expect. It is the account of a tragic struggle
for freedom against overwhelming odds. It is the true story
of how a few individuals (five students and one professor at the
University of Munich) tried, entirely on their own initiative,
to organize a resistance movement against the Nazi regime.
They called their movement "Die weiße Rose."

World events have proceeded at such a pace in the past two
decades that even those of us who experienced or observed the
Nazi regime in Germany as adults are gradually forgetting it,
while for the present student generation it is only a vague
childhood memory or just a matter of history, an affair with
little meaning in their own lives.

We are making *Die weiße Rose* available for American students because we believe it to be of enormous importance that
they should learn from a first-hand account something about
the methods that the Nazis used to get control of the youth of
Germany: how they appealed to their youthful idealism, and
how, once having gained power, they cunningly enmeshed
them until they were little more than slaves of the regime.
Such things could happen anywhere, even in the United States,
and to prevent this, it is important that we try to understand
how such things come to pass. It is important, too, to know
that not all Germans accepted this tyranny lying down, that
there were a few people who, from sheer idealism and with no
regard for the consequences, took up the battle of the good
against the evil. We hope that American students of today

v

will read with interest how a few of the best of the German students of yesterday fought and died for what they believed in.

Since this edition of *Die weiße Rose* (complete except for a few very minor cuts) was conceived primarily as a reading text and only secondarily as a tool for language learning, it seemed important that the process of reading should be facilitated as much as possible for American students. For that reason, relatively unimportant words that need not be memorized are translated at the bottom of the page. This should save a good deal of leafing in the end vocabulary. The vocabulary itself is intended to be complete except for the glossed words and obvious cognates.

For helpful advice in the preparation of the footnotes I should like to express my indebtedness to my native German colleagues, Joachim Maass, Lotte Rox, Henry Rox, Elsa Sell, and Frederick Sell.

E.M.

South Hadley, Massachusetts

ABOUT THE AUTHOR

Inge Scholl, the author of this book, is the sister of Hans and Sophie Scholl, two of the small group of Munich students who in 1943 were executed by the Nazi government because they dared to raise their voices against the tyranny that held all of Germany as well as other countries of central Europe in its brutal grasp. These young people went to their death for an idea, the idea that it is not compatible with the dignity of the human being to submit to a government that robs him of all self-determination. They died calmly and cheerfully, because they believed unshakeably that one day the idea for which they sacrificed their lives would be realized.

Shortly before her death, Sophie Scholl predicted that their action would arouse thousands of people and would cause a revolution among German students. This did not take place, but there was at least one person who took upon her shoulders the responsibility of continuing in her own way the task begun by the courageous little group of students in 1943. The writing of this book, which was conceived as a monument to their memory, is only a small part of what Inge Scholl has done and is doing for the realization of their ideal. A brief account of her work will serve as a sequel to the bit of history that she has given us in this little volume.

Very soon after the execution of Hans and Sophie Scholl and their friend, Christl Probst, the remaining members of the Scholl family were imprisoned — it was the first time that the law of "Sippenhaft" promulgated by the Nazis was applied:

the families of "guilty" persons were regarded as guilty simply by association and were treated accordingly.

After being released from prison, Inge Scholl and her mother retired to a lonely farm in the Black Forest to recuperate. As soon as the war was over, however, they returned to Ulm to join their husband and father. With them came Otl Aicher, a young man who had been a member of the Resistance Movement and a close friend of Hans and Sophie Scholl and who had also found refuge on the farm in the Black Forest. (He and Inge Scholl have since become husband and wife.)

They came back to Ulm, a city of death and ruins. All about the fine old cathedral, which had been spared by the bombs, lay a great expanse of ruins. The people who were left lived in cellars or in the ruins of their houses, full of fear and uncertainty. At night they scarcely ventured out of their cellars, for there were no street lights and hardly even streets or paths — everything was covered with rubble.

But one day, only a few weeks after the end of the war, the people stopped in astonishment before placards fastened to the walls of houses. They read that there was to be a talk by the famous philosopher, Romano Guardini, who had had to go into seclusion during the Nazi days and now re-appeared in public for the first time.

Other lectures followed by well-known German philosophers, theologians, and writers, all of them men who had been forced into silence by the Nazi regime, and who were now suddenly at hand, speaking openly and freely to the people of Ulm about what had taken place in Germany during the years of tyranny. To understand fully what this meant to the Germans, one must recall that for many years they had been systematically blindfolded by the regime and had never heard the truth.

The people came by the hundreds on narrow paths through the rubble to hear the men who told them things that brought hope into the chaos and hopelessness of their lives — and courage to start anew. In Ulm something had happened that made the people feel that a new life had begun, a life in direct opposition to that of Nazism.

The person primarily responsible for this revival was Inge Scholl. Her brother and sister were not forgotten. They had

had to die for their belief in the freedom of the individual, but Inge had survived, and she regarded it as her special responsibility to place her life in the service of the ideal for which her brother and sister had perished. She was determined to carry out the work that they had begun. Her conviction that the people of postwar Germany must be told the truth in order to become genuinely free once again was behind all the activity in Ulm, which was probably the first of its kind in postwar Germany.

Inge Scholl was not a person with political connections or influence. She could begin her work only in a very modest way. The purely practical difficulties were enormous. There were no trains, no mail and no telephone connections. All she had was a small group of helpers, friends of Sophie and Hans, who eagerly devoted their energies to the carrying out of her plan. Among them was Otl Aicher, who had somehow managed to salvage a bicycle. On this he traveled many miles to find men of importance and influence who could support their work. After a time, he even succeeded in acquiring an old automobile in which he could transport the speakers to Ulm. The commanding officer of the American Occupation Forces proved co-operative. In those first weeks immediately after the war, all public assemblies were prohibited, but the American officer suggested to Inge Scholl that the lectures be held in a church. There could be no objection to that.

Gratefully the audiences came to the church and heard the truth, which had so long been withheld from them, and they returned home with renewed hope and courage. The beginning was so successful and the demand for more so urgent that Inge Scholl and her friends felt they must continue their work, even after conditions had become somewhat more normal. Out of these early beginnings, there grew the *Volkshochschule* of Ulm, that is, a night school for adults. To quote freely from a report of Inge Scholl: "It (the school) has no direct practical purpose for vocational training in the form of regular reports, diplomas and that sort of thing. It is intended to raise the level of knowledge, to broaden the horizons, to educate heart and mind and to provide good impulses for the forming and development of one's personal life, as well as to arouse a feeling for common social problems. It is an establishment for the good of all, the property of no one and of all those who care to take part in it." In other words, it is a democratic institution in the best sense of the word.

The *Volkshochschule* of Ulm is a living part of the cultural life of the city. One can still hear lectures by prominent men not only from Germany but from other countries also. In addition, there are regular courses and work groups in which people meet to discuss specific problems or to work out practical projects, such as the development of a playground for children or a home for refugees. The approach is simple and sound: from the problems that the students find at their own doorsteps, they proceed to world problems. And behind it all, the visitor to Ulm senses the vivid and imaginative personality of Inge Scholl, who has provided the impetus for all this healthy activity.

The founding of the school for adults was a bright spot in the darkness and chaos of postwar Ulm, but as time went on, Inge Scholl and her helpers found themselves again and again facing serious educational problems that could not be solved by the *Volkshochschule*. They began to think of a new school, a school for the young postwar generation. It was to be a new kind of school, which in its own special way was designed to combat the deep pessimism of the youth, who had been shaken to their very foundations by the war and the defeat of their country. Their well-nigh hopeless skepticism toward the potentialities of our contemporary civilization could only too easily lead again to the kind of nihilism that had found expression in the Nazi state.

Inge Scholl, however, who had accepted the heritage of her brother and sister, was determined to offer something constructive to help combat this destructive sort of pessimism. The basic concept behind the new school was that it was to bring to realization in a practical way the idea that modern technology, which so largely determines our civilization, should be truly made to serve mankind instead of crushing it — an imminent danger.

This may sound merely like a fine generality, but Inge Scholl is not a person to get lost in abstract generalities. With determination, persistence and remarkable tact, she went to work. It soon became apparent that she and her co-workers had, through the success of the *Volkshochschule*, built up a large circle of actively interested friends. A Foundation in memory of Hans and Sophie Scholl came into being, and before long won the interest not only of many influential Germans, but also of the authorities of the American Occupation Forces. High Commissioner McCloy, in particular, became deeply interested, and through his influence the Foundation was given decisive financial support. This American aid, matched by a like sum from German sources, made it possible to start the actual work of building. The support of America automatically put the school on an international basis, thereby expanding its initial concept. At present its faculty and students as well as its board of trustees are international in their make-up.

It is conceived primarily as an institution that will serve the life of today by bringing about a fusion of the technical skills, in which our time excels, with human creativeness. Each individual student is given the opportunity of developing his own capacities and his own personality to the utmost of his ability. On a hilltop just outside of Ulm, fine modern buildings are rising, with the co-operation of faculty and students, and here the belief in the rights and dignity of the human being, for which the little group of Munich students and their professor died, is finding realization.

Die weiße Rose

In den frühlinghaften Februartagen nach der Schlacht bei
Stalingrad fuhr ich in einem Vorortzug von München nach
Solln. Neben mir saßen zwei Parteigenossen [1] im Abteil,
die sich flüsternd und tuschelnd [2] über die jüngsten Er-
eignisse in München unterhielten. „Nieder mit Hitler" war 5
in großen weißen Buchstaben an die Universität geschrieben
worden. Flugblätter waren gefallen, die zum Widerstand
aufriefen, die Stadt war wie von einem Stoß erschüttert.
Zwar stand alles noch wie zuvor, das Leben ging weiter
wie je, aber im Geheimen war etwas verändert. Das merkte 10
ich an dem Gespräch der beiden Männer, die sich hier im
Abteil gegenübersaßen und ihre Köpfe zusammensteckten.
Sie sprachen vom Ende des Krieges und was sie tun würden,
wenn es plötzlich vor ihnen stünde. „Es wird nichts übrig
bleiben, als sich zu erschießen", meinte der eine und blickte 15
rasch zu mir herüber, ob ich vielleicht etwas verstanden
hätte.

Wie mögen diese beiden Männer aufgeatmet haben, als
wenige Tage später überall brennend rote Plakate zur Beruhigung der Bevölkerung angeschlagen waren, auf denen 20
zu lesen stand:

Wegen Hochverrats wurden zum Tode verurteilt:

Der 24jährige Christoph Probst,
der 25jährige Hans Scholl,
die 22jährige Sophie Scholl.   25
Das Urteil wurde bereits vollstreckt. [3]

[1] **Parteigenossen** members of the Nazi party

[2] **tuschelnd** (whispering) secretively

[3] **vollstreckt** carried out

Die Presse schrieb von verantwortungslosen Einzelgän-
gern,[1] die sich durch ihr Tun automatisch aus der Volksgemeinschaft ausgeschlossen hätten.

Von Mund zu Mund erzählte man sich, daß an die hundert
5 Personen verhaftet worden waren, und daß noch weitere
Todesurteile zu erwarten seien. Der Präsident des Volks-
gerichtshofes war im Flugzeug eigens von Berlin gekommen, um kurzen Prozeß zu machen.[2]

In einem weiteren, späteren Prozeß wurden noch zum
10 Tode verurteilt und hingerichtet:

> Willi Graf,
> Professor Kurt Huber,
> Alexander Schmorell.

Was hatten diese Menschen getan? Worin bestand ihr
15 Verbrechen?

Während die einen über sie spotteten und sie in den
Schmutz zogen, sprachen die anderen von Helden der
Freiheit.

Aber kann man sie Helden nennen? Sie haben nichts
20 Übermenschliches unternommen. Sie haben etwas Einfaches verteidigt, sind für etwas Einfaches eingestanden,
für das Recht und die Freiheit des einzelnen Menschen, für
seine freie Entfaltung und sein Recht auf ein freies Leben.
Sie haben sich keiner außergewöhnlichen Idee geopfert,
25 haben keine großen Ziele verfolgt; was sie wollten, war, daß
Menschen wie du und ich in einer menschlichen Welt leben
können. Und vielleicht liegt darin das Große, daß sie für
etwas so Einfaches eintraten und ihr Leben dafür aufs Spiel
setzten, daß sie die Kraft hatten, das einfachste Recht mit
30 einer letzten Hingabe zu verteidigen. Vielleicht ist es
schwerer, ohne allgemeine Begeisterung, ohne große Ideale,

---

[1] **Einzelgänger** individualist,
"lone wolf"

[2] **um kurzen Prozeß zu machen** to make short work
of this matter

ohne hohe Ziele, ohne deckende Organisationen und ohne Verpflichtung für eine gute Sache einzustehen und allein und einsam sein Leben für sie einzusetzen. Vielleicht liegt darin das wirkliche Heldentum, beharrlich gerade das Alltägliche, Kleine und Naheliegende zu verteidigen, nachdem 5 allzuviel von großen Dingen geredet worden ist.

Das beschauliche ¹ Städtchen im Kochertal,² in dem wir unsere Kindertage verbrachten, schien von der großen Welt vergessen. Die einzige Verbindung mit dieser Welt war eine gelbe Postkutsche, die die Bewohner in langer, rum- 10 pelnder Fahrt zur Bahnstation brachte. Mein Vater jedoch, der dort Bürgermeister war, sah mit tiefem Kummer die Nachteile dieser Weltabgeschiedenheit und setzte es schließlich in zähem Kampf gegen manchen Bauernschädel ³ durch, daß endlich eine Eisenbahn gebaut wurde. 15

Uns aber erschien die Welt dieses Städtchens nicht klein, sondern weit und groß und herrlich. Wir hatten auch bald begriffen, daß sie am Horizont, wo die Sonne auf- und unterging, noch lange nicht zu Ende war.

Aber eines Tages rollten wir auf den Rädern unserer 20 geliebten Eisenbahn mit Sack und Pack davon, weit fort über die Schwäbische Alb.⁴

Ein großer Sprung war getan, als wir in Ulm, der Stadt an der Donau, ausstiegen, die nun unsere neue Heimat werden sollte. Ulm, — das hörte sich an wie der Klang der 25 größten Glocke vom gewaltigen Münster. Erst hatten wir großes Heimweh. Doch viel Neues zog bald unsere Auf-

¹ **beschaulich** quiet and peaceful
² **Kochertal** valley of the Kocher River
³ **Bauernschädel** peasant's skull
⁴ **Schwäbische Alb** name of a range of hills

merksamkeit auf sich, besonders die Höhere Schule,[1] in die
wir fünf Geschwister eines nach dem andern eintraten.

An einem Morgen hörte ich auf der Schultreppe eine
Klassenkameradin zur andern sagen: „Jetzt ist Hitler an
5 die Regierung gekommen." Und das Radio und alle Zeitungen verkündeten: „Nun wird alles besser werden in
Deutschland. Hitler hat das Ruder ergriffen."
Zum ersten Male trat die Politik in unser Leben. Hans
war damals 15 Jahre alt, Sophie 12. Wir hörten viel vom
10 Vaterland reden, von Kameradschaft, Volksgemeinschaft
und Heimatliebe. Das imponierte uns, und wir hörten
begeistert zu, wenn wir in der Schule oder auf der Straße
davon sprechen hörten. Denn unsere Heimat liebten wir
sehr, die Wälder, den Fluß und die alten, grauen Steinriegel,[2]
15 die sich zwischen den Obstwiesen und Weinbergen an den
steilen Hängen [3] emporzogen. Wir hatten den Geruch von
Moos, von feuchter Erde und duftenden Äpfeln im Sinn,
wenn wir an unsere Heimat dachten. Und jeder Fußbreit
war uns dort tiefvertraut und lieb. Das Vaterland, was war
20 es anderes als die größere Heimat all derer, die die gleiche
Sprache sprachen und zum selben Volke gehörten. Wir
liebten es und konnten kaum sagen, warum. Man hatte
bisher ja auch nie viele Worte darüber gemacht. Aber jetzt,
jetzt wurde es groß und leuchtend an den Himmel geschrie-
25 ben. Und Hitler, so hörten wir überall, Hitler wolle diesem
Vaterland zu Größe, Glück und Wohlstand verhelfen; er
wolle sorgen, daß jeder Arbeit und Brot habe; nicht ruhen
und rasten wolle er, bis jeder einzelne Deutsche ein unab-
hängiger, freier und glücklicher Mensch in seinem Vaterland
30 sei. Wir fanden das gut, und was immer wir dazu beitragen [4]
konnten, wollten wir tun. Aber noch etwas anderes kam
dazu, was uns mit geheimnisvoller Macht anzog und

[1] **Höhere   Schule**   secondary
   school
[2] **Steinriegel** stone fences

[3] **Hänge** hillsides
[4] **beitragen** contribute

mitriß, das waren die kompakten marschierenden Kolonnen
der Jugend mit ihren wehenden Fahnen, den vorwärts-
gerichteten Augen und dem Trommelschlag [1] und Gesang.
War das nicht etwas Überwältigendes, diese Gemeinschaft?
So war es kein Wunder, daß wir alle, Hans und Sophie und 5
wir anderen, uns in die Hitlerjugend einreihten.

Wir waren mit Leib und Seele dabei, und wir konnten es
nicht verstehen, daß unser Vater nicht glücklich und stolz
Ja dazu sagte. Im Gegenteil, er war sehr unwillig [2] darüber,
und zuweilen sagte er: ,,Glaubt ihnen nicht, sie sind Wölfe 10
und Bärentreiber, und sie mißbrauchen das deutsche Volk
schrecklich.'' Und manchmal verglich er Hitler mit dem
Rattenfänger von Hameln, der die Kinder mit seiner Flöte
ins Verderben gelockt hatte. Aber des Vaters Worte waren
in den Wind gesprochen,[3] und sein Versuch, uns zurück- 15
zuhalten', scheiterte an [4] unserer jungen Begeisterung.

Wir gingen mit den Kameraden der Hitlerjugend auf
Fahrt und durchstreiften [5] in weiten Wanderungen unsere
neue Heimat, die Schwäbische Alb.

Wir liefen lange und anstrengend, aber es machte uns 20
nichts aus; wir waren zu begeistert, um unsere Müdigkeit
einzugestehen. War es nicht großartig, mit jungen Menschen plötzlich etwas Gemeinsames und Verbindendes zu
haben, denen man sonst vielleicht nie nähergekommen
wäre? Wir trafen uns zu den Heimabenden, es wurde vor- 25
gelesen und gesungen, oder wir machten Spiele oder Bastel-
arbeiten.[6] Wir hörten, daß wir für eine große Sache leben
sollten. Wir wurden ernstgenommen, in einer merkwürdigen Weise ernstgenommen, und das gab uns einen besonderen Auftrieb. Wir glaubten, Mitglieder einer großen, 30
wohlgegliederten [7] Organisation zu sein, die alle umfaßte
und jeden würdigte, vom zehnjährigen Jungen bis zum er-

---

[1] **Trommelschlag** beating of
drums
[2] **unwillig** indignant, angry
[3] **in den Wind gesprochen**
preached to deaf ears

[4] **scheiterte an** failed because of
[5] **durchstreiften** roamed
through
[6] **Bastelarbeit** handicraft
[7] **wohlgegliedert** well set up

wachsenen Mann. Wir fühlten uns beteiligt an einem Prozeß, an einer Bewegung, die aus der Masse Volk schuf. Manches, was uns anödete [1] oder einen schalen Geschmack verursachte, würde sich schon geben,[2] — so glaubten wir. 5 Einmal sagte eine fünfzehnjährige Kameradin im Zelt, als wir uns nach einer langen Radtour unter einem weiten Sternenhimmel zur Ruhe gelegt hatten, ziemlich unvermittelt: „Alles wäre so schön, — nur die Sache mit den Juden, die will mir nicht hinunter."[3] Die Führerin sagte, 10 daß Hitler schon wisse, was er tue, und man müsse um der großen Sache willen manches Schwere und Unbegreifliche akzeptieren. Das Mädchen jedoch war mit dieser Antwort nie ganz zufrieden, andere stimmten ihr bei, und man hörte plötzlich die Elternhäuser aus ihnen reden. Es war eine 15 unruhige Zeltnacht, — aber schließlich waren wir doch zu müde. Und der nächste Tag war unbeschreiblich herrlich und voller Erlebnisse. Das Gespräch der Nacht war vorläufig vergessen.

In unseren Gruppen wurde zusammengehalten wie unter 20 Freunden. Die Kameradschaft war etwas Schönes.

Hans hatte sich einen Liederschatz gesammelt, und seine Jungen hörten es gerne, wenn er zur Klampfe [4] sang. Es waren nicht nur die Lieder der Hitlerjugend, sondern auch Volkslieder aus allerlei Ländern und Völkern. Wie zauber-25 haft klang doch solch ein russisches oder norwegisches Lied in seiner dunklen, ziehenden Schwermut.[5] Was erzählte es einem nicht von der Seele jener Menschen und ihrer Heimat. Aber nach einiger Zeit ging eine merkwürdige Veränderung in Hans vor, er war nicht mehr der alte. Etwas Stö-30 rendes war in sein Leben getreten. Nicht die Vorhaltungen [6] des Vaters waren es, nein, denen gegenüber konnte er sich

---

[1] **anödete** bored
[2] **würde sich schon geben** would be all right in the end
[3] **die will mir nicht hinunter** I can't swallow that
[4] **Klampfe** guitar
[5] **ziehende Schwermut** haunting melancholy
[6] **Vorhaltungen** remonstrances

9 taub stellen.[1] Es war etwas anderes. Die Lieder sind verboten, hatten ihm die Führer gesagt. Und als er darüber lachte, hatten sie ihm mit Strafen gedroht. Warum sollte er diese Lieder, die so schön waren, nicht singen dürfen? Nur weil sie von anderen Völkern ersonnen[2] waren? Er konnte 5 es nicht einsehen; es bedrückte ihn, und seine Unbekümmertheit begann zu entschwinden.

Zu dieser Zeit wurde er mit einem ganz besonderen Auftrag ausgezeichnet. Er sollte die Fahne seines Stammes[3] zum Parteitag nach Nürnberg tragen. Seine Freude war 10 groß. Aber als er zurückkam, trauten wir unseren Augen kaum. Er sah müde aus, und in seinem Gesicht lag eine große Enttäuschung. Irgendeine Erklärung durften wir nicht erwarten. Allmählich erfuhren wir aber doch, daß die Jugend, die ihm dort als Idealbild dargestellt wurde, 15 völlig verschieden war von dem Bild, das er sich von ihr gemacht hatte. Dort Drill und Uniformierung bis ins persönliche Leben hinein, — er aber hätte gewünscht, daß jeder Junge das Besondere aus sich machte, das in ihm steckte. Jeder einzelne Kerl hätte durch seine Phantasie, 20 seine Einfälle und seine Eigenart die Gruppe bereichern helfen sollen. Dort aber, in Nürnberg, hatte man alles nach einer Schablone ausgerichtet.[4] Von Treue hatte man gesprochen, bei Tag und Nacht. Was aber war denn der Grundstein aller Treue: zuerst doch die zu sich selbst. . . . Mein 25 Gott! In Hans begann es gewaltig zu rumoren.[5]

Bald darauf beunruhigte ihn ein neues Verbot. Einer der Führer hatte ihm das Buch seines Lieblingsdichters aus der Hand genommen, Stefan Zweigs „Sternstunden der Menschheit".[6] Das sei verboten, hatte man ihm gesagt. 30

---

[1] **sich taub stellen** pretend to be deaf
[2] **ersonnen** conceived
[3] **Stamm** unit of the Hitlerjugend
[4] **nach einer Schablone ausgerichtet** performed according to one pattern

[5] **rumoren** ferment
[6] **Sternstunden der Menschheit** Fateful Hours of Mankind, published in English under the title "Tide of Fortune" Zweig's works were forbidden by the Nazis because he was a Jew.

Warum? Darauf gab es keine Antwort. Über einen anderen deutschen Schriftsteller, der ihm sehr gefiel, hörte er etwas Ähnliches. Er hatte aus Deutschland fliehen müssen, weil er sich für den Gedanken des Friedens eingesetzt hatte.

5 Schließlich aber war es zum offenen Bruch gekommen. Hans war schon vor längerer Zeit zum Fähnleinführer [1] befördert worden. Er hatte sich mit seinen Jungen eine prachtvolle Fahne mit einem großen Sagentier [2] genäht. Die Fahne war etwas Besonderes; sie war auf den Führer 10 geweiht, und die Jungen hatten ihr Treue gelobt, [3] weil sie das Symbol ihrer Gemeinschaft war. Aber eines Abends, als sie mit der Fahne angetreten waren, zum Appell vor einem höheren Führer, war eine unerhörte Geschichte passiert. Der Führer hatte plötzlich unvermittelt den 15 kleinen Fahnenträger, einen fröhlichen zwölfjährigen Jungen, aufgefordert, die Fahne abzugeben. „Ihr braucht keine besondere Fahne. Haltet euch an die, die für alle vorgeschrieben ist." Hans war tief betroffen. Seit wann das? Wußte der Stammführer [4] nicht, was gerade diese 20 Fahne für sein Fähnlein bedeutete? War das nicht mehr als ein Tuch, das man nach Belieben wechseln konnte?

Noch einmal forderte der Andere den Jungen auf, die Fahne herauszugeben. Der blieb starr [5] stehen, und Hans wußte, was in ihm vorging und daß er es nicht tun würde. 25 Als der höhere Führer den Kleinen zum drittenmal mit drohender Stimme aufforderte, sah Hans, daß die Fahne ein wenig bebte. Da konnte er nicht länger an sich halten. Und er trat still aus der Reihe heraus und gab dem Führer eine Ohrfeige. [6] 30 Von da an war er nicht mehr Fähnleinführer.

Der Funke quälenden Zweifels, der in Hans erglommen [7] war, sprang auf uns alle über.

---

[1] **Fähnlein** smaller unit of the Hitlerjugend
[2] **Sagentier** legendary animal
[3] **gelobt** vowed
[4] **Stammführer** group leader
[5] **starr** rigid
[6] **Ohrfeige** slap in the face
[7] **erglommen war** had begun to glimmer

In jenen Tagen hörten wir auch eine Geschichte von einem jungen Lehrer, der auf rätselhafte [1] Weise verschwunden war. Er war vor eine SA-Gruppe gestellt worden, und alle mußten an ihm vorbeiziehen und ihm ins Gesicht spucken,[2] — auf Befehl. Darauf hatte den jungen 5 Lehrer niemand mehr gesehen. Er war in einem Konzentrationslager verschwunden. „Aber was hatte er denn getan?" fragten wir seine Mutter mit angehaltenem Atem. „Nichts, nichts", rief die Frau verzweifelt. „Er war eben kein Nationalsozialist, er konnte halt da nicht mitmachen,[3] 10 *das* war sein Verbrechen."

Mein Gott! Wie da der Zweifel, der bisher nur ein Funke war, erst zu tiefer Trauer wurde und dann zu einer Flamme der Empörung aufloderte.[4] In uns begann eine gläubige, reine Welt zu zerbrechen, Stück um Stück. Was hatte man 15 in Wirklichkeit aus dem Vaterland gemacht? Nicht Freiheit, nicht blühendes Leben, nicht Gedeihen und Glück jedes Menschen, der darin lebte. Nein, eine Klammer [5] um die andere hatte man um Deutschland gelegt, bis allmählich alles wie in einem großen Kerker gefangen saß. 20

„Was, Vater, ist ein Konzentrationslager?"

Er berichtete uns, was er wußte und ahnte, und fügte hinzu:

„Das ist Krieg. Krieg mitten im tiefsten Frieden und im eigenen Volk. Krieg gegen den wehrlosen, einzelnen Men- 25 schen, Krieg gegen das Glück und die Freiheit seiner Kinder. Es ist ein furchtbares Verbrechen."

War aber die quälende Enttäuschung vielleicht nur ein böser Traum, von dem wir am andern Morgen erwachen würden? In unseren Herzen entbrannte ein heftiger Kampf. 30 Wir versuchten, unsere alten Ideale gegen alles, was wir erlebt und gehört hatten, zu verteidigen.

„Weiß denn der Führer etwas von den Konzentrationslagern?"

---

[1] **rätselhaft** mysterious
[2] **spucken** spit
[3] **er konnte halt da nicht mit-**

machen he just couldn't go along with them
[4] **aufloderte** flamed up
[5] **Klammer** clamp

„Sollte er es nicht wissen, da sie nun schon Jahre existieren und seine nächsten Freunde sie eingerichtet haben? Und warum hat er nicht seine Macht benützt, um sie sofort abzuschaffen?[1] Warum ist es jenen, die daraus entlassen 5 wurden, bei Todesstrafe untersagt,[2] etwas von ihren Erlebnissen zu erzählen?"

In uns erwachte ein Gefühl, als lebten wir in einem einst schönen und reinen Haus, in dessen Keller hinter verschlossenen Türen furchtbare, böse, unheimliche Dinge 10 geschehen. Und wie der Zweifel langsam von uns Besitz ergriffen hatte, so erwachte nun in uns das Grauen, die Angst, der erste winzige Keim einer grenzenlosen Unsicherheit.

„Wie aber war es möglich, daß in unserem Volke so 15 etwas an die Regierung kommen konnte?"

„In einer Zeit großer Not", so erklärte uns der Vater, „kommt allerlei nach oben. Schaut, welche Zeiten wir durchzustehen hatten: zuerst den Krieg, dann die Schwierigkeiten der Nachkriegszeit, Inflation und große Armut. 20 Darauf Arbeitslosigkeit. Und wenn einem Menschen einmal die nackte Lebensexistenz untergraben ist und er seine Zukunft nur noch wie eine graue, undurchdringliche Wand sieht, — dann hört er auf Versprechungen und Verlockungen, ohne zu fragen, wer sie macht."

25 „Aber Hitler hat ja sein Versprechen, die Arbeitslosigkeit zu beseitigen, gehalten!"

„Das bestreitet auch niemand. Aber fragt nicht, wie! Die Kriegsindustrie hat er angekurbelt,[3] Kasernen werden gebaut.... Wißt ihr, wo das endet?... Er hätte es 30 selbst auf dem Wege über die Friedensindustrie schaffen können, die Arbeitslosigkeit zu beseitigen, — in der Diktatur ist das leicht genug zu erreichen. Aber wir sind doch kein Vieh, das mit einer vollen Futterkrippe[4] allein zufrieden ist. Die materielle Sicherheit allein wird nie genü-

---

[1] **abzuschaffen** to do away with
[2] **untersagt** prohibited
[3] **angekurbelt** set into motion
[4] **Futterkrippe** feed trough

gen, uns glücklich zu machen. Wir sind doch Menschen,
die ihre freie Meinung, ihren eigenen Glauben haben. Eine
Regierung, die an diese Dinge rührt, hat keinen Funken
Ehrfurcht mehr vor dem Menschen. Das aber ist das erste,
was wir von ihr verlangen müssen." 5

Auf einem weiten Frühlingsspaziergang hatte sich dieses
Gespräch zwischen dem Vater und uns entsponnen.[1] Und
wir hatten uns wieder einmal alle die Fragen und Zweifel
gründlich vom Herzen geredet.

„Ich möchte nur, daß ihr gerad und frei durchs Leben 10
geht, wenn es auch schwer ist", hatte der Vater noch gesagt.

Plötzlich waren wir wie Kameraden gewesen, der Vater
und wir. Und keiner von uns hätte daran gedacht, daß
er doch viel älter war. Wir spürten, daß die Welt weiter
geworden war, daß aber in dieser Weite Gefahr und Wagnis [2] 15
lag.

Die Familie war nun wie eine kleine, feste Insel in dem
unverständlichen und immer fremder werdenden Getriebe.[3]

Aber daneben gab es noch etwas anderes für Hans und
meinen jüngsten Bruder Werner, was in diesen Jahren zwi- 20
schen vierzehn und achtzehn Jahren ihr Leben bestimmte
und es mit einem unbeschreiblichen Elan [4] erfüllte. Das
war die „Jungenschaft", eine kleine Gruppe von Freunden.
Die „Jungenschaft" gab es in verschiedenen Städten in
Deutschland, vor allem dort, wo sich noch kulturelles 25
Leben regte. Sie waren letzte Reste der zersprengten [5]
Bündischen [6] Jugend und eigentlich schon längst von der
Gestapo verboten. Sie hatten ihren eigenen, sehr eindrucks-
vollen Stil, der aus den Jungen selbst gewachsen war. Sie
erkannten sich an der Art, wie sie sich kleideten, sie kann- 30
ten sich an ihren Liedern, ja an ihrer Sprache. Ich weiß

[1] **entsponnen** developed
[2] **Wagnis** risk
[3] **Getriebe** goings-on
[4] **Elan** impetus, enthusiasm
[5] **zersprengt** dispersed

[6] **Bündische Jugend** branch of
the German Youth Move-
ment founded after the first
World War

nicht, ob man eine solche Sache überhaupt beschreiben
kann. Man muß sie erlebt haben. Für diese Jungen war
das Leben ein großes, herrliches Abenteuer, eine Expedition
in eine unbekannte, verlockende Welt. Die Gruppe ging
5 übers Wochenende auf Fahrt und pflegte, auch bei grim-
miger Kälte, in einer Kohte [1] zu wohnen, einem Zelt nach
dem Muster der Lappen im hohen Norden. Wenn sie um
das Feuer saßen, lasen sie einander vor, oder sie sangen und
begleiteten ihren Chor mit der Klampfe,[2] dem Banjo und
10 der Balalaika.[3] Sie sammelten die Lieder aller Völker
und dichteten und komponierten ihre eigenen feierlichen
Gesänge und lustigen Schlager [4] dazu. Sie malten und pho-
tographierten, sie schrieben und dichteten, und daraus
entstanden ihre herrlichen Fahrtenbücher [5] und Zeitschrif-
15 ten, die ihnen niemand nachahmen konnte. Sie stiegen im
Winter auf die abgelegensten [6] Almen [7] und machten die ver-
wegensten [8] Skiabfahrten; sie liebten es, in der Morgenfrühe Florett [9] zu fechten; sie trugen Bücher mit sich herum,
die ihnen wichtig waren und die ihnen neue Dimensionen
20 der Welt und des eigenen Innern erschlossen. Sie waren
ernst und verschwiegen, sie hatten ihren eigenen Humor
und ganze Eimer voll Witz und Skepsis und Spott. Sie
konnten wild und ausgelassen [10] durch die Wälder jagen, sie
warfen sich am frühen Morgen in eiskalte Flüsse; sie konn-
25 ten stundenlang still auf dem Bauch liegen, um Wild oder
Vögel zu beobachten. Sie saßen genau so still und mit angehaltenem Atem in Konzerten, um die Musik zu entdecken.
Man sah sie im Kino, wenn einmal ein schöner Film auftauchte,[11] oder im Theater, wenn ein Stück die Gemüter
30 bewegte. Sie gingen auf Zehenspitzen [12] in den Museen

[1] **Kohte** primitive hut
[2] **Klampfe** guitar
[3] **Balalaika** Russian guitar-like
  instrument
[4] **Schlager** hit song
[5] **Fahrtenbücher** diaries of
  trips
[6] **abgelegen** remote

[7] **Alm** mountain meadow
[8] **verwegen** daring
[9] **Florett fechten** fence with a
  foil
[10] **ausgelassen** exuberantly
[11] **auftauchte** turned up
[12] **auf Zehenspitzen** on tiptoe

umher; sie waren mit dem Münster und seinen verborgensten Schönheiten vertraut. Sie liebten in besonderer Weise die blauen Pferde von Franz Marc,[1] die glühenden Kornfelder und Sonnen von Van Gogh [2] und die exotische Welt bei Gauguin.[3] Aber mit all dem ist eigentlich gar nichts [5] Präzises gesagt. Vielleicht soll man auch nicht viel sagen, weil sie selbst so verschwiegen waren and still hineinwuchsen in das Erwachsensein, in das Leben.

Einer der Lieblingschöre der Jungen lautete:

> Schließ Aug und Ohr für eine Weil
> vor dem Getös [4] der Zeit,
> Du heilst es nicht und hast kein Heil,
> als bis Dein Herz sich weiht.

> Dein Amt ist hüten, harren,[5] sehn
> im Tag die Ewigkeit,
> Du bist schon so im Weltgeschehn
> gefangen und befreit.

> Die Stunde kommt, da man Dich braucht,
> dann sei Du ganz bereit,
> Und in das Feuer, das verraucht,[6]
> wirf Dich als letztes Scheit.[7]

Plötzlich lief eine Verhaftungswelle durch ganz Deutsch- [10] land und zerstörte diese letzten, echten Reste einer großen, zu Beginn unseres Jahrhunderts mit herrlicher Erwartung und tiefem Elan [8] aufgebrochenen Jugendbewegung.

Für viele dieser Jungen wurde das Gefängnis eine der großen und fruchtbaren Erschütterungen ihrer Jugend. [15] Und manche von ihnen begriffen, daß eine Jugend und eine Jugendbewegung und die „Jungenschaft" einmal enden

---

[1] **Franz Marc** (1880–1916) expressionistic painter
[2] **Van Gogh** (1853–1890) famous Dutch painter
[3] **Gauguin** (1848–1903) famous French painter

[4] **Getös** turmoil
[5] **harren** wait patiently
[6] **verraucht** dies away in smoke
[7] **Scheit** log
[8] **Elan** enthusiasm

mußten, weil sie den Schritt zum Erwachsensein zu vollziehen hatten. Die Tagebücher, die Zeitschriften und die
Liederhefte wurden beschlagnahmt[1] und eingestampft.[2]
Die Jungen wurden nach einigen Wochen oder Monaten
5 wieder freigelassen. Hans schrieb damals in eines seiner
Lieblingsbücher auf die erste, unbeschriebene Seite: „Reißt
uns das Herz aus dem Leibe, — und ihr werdet euch blutig
daran verbrennen."

Diese Jungenzeit hätte einmal enden müssen, auch ohne
10 Gestapo. Das war die Erkenntnis, die Hans während seiner
ersten Berührung mit der grauen Gefängniszelle gewann.
Er faßte nun fest das Studium ins Auge,[3] das ihm bevor-
stand, und entschloß sich für den Arztberuf.

Hans spürte, daß das Schöne und das ästhetische Genießen
15 des Daseins allein, auch das stille Hineinwachsen in das
Leben ihm nicht mehr genügte, daß es vor der Gefährdung
durch diese Zeit nicht mehr schützen konnte. Daß eine
letzte brennende Leere blieb, und daß die schweren, tiefen,
beunruhigenden Fragen keine Antwort fanden. Nicht bei
20 Rilke[4] und nicht bei Stefan George,[5] nicht bei Nietzsche[6]
und auch nicht bei Hölderlin.[7] Aber Hans hatte das sichere
Gefühl, daß sein redliches Suchen ihn richtig führen werde.
Er begegnete schließlich, auf merkwürdigen Umwegen,
den alten antiken[8] Philosophen, er lernte Plato und Sokrates
25 kennen. Er stieß[9] auf die frühen christlichen Denker, er
beschäftigte sich mit dem großen Augustinus.[10] Und weiter
entdeckte er Pascal.[11] . . . Damals bekamen die Worte der

---

[1] **beschlagnahmt** confiscated
[2] **eingestampft** reduced to pulp
[3] **faßte ins Auge** fixed his eyes
upon
[4] **Rainer Maria Rilke** (1875–
1926) lyric poet
[5] **Stefan George** (1868–1933)
lyric poet
[6] **Friedrich Nietzsche** (1844–
1900) philosopher

[7] **Friedrich Hölderlin** (1770–
1843) lyric poet
[8] **antik** ancient Greek
[9] **stieß auf** came upon
[10] **Augustinus** (354–430) St.
Augustine, famous theolo-
gian
[11] **Blaise Pascal** (1623–1662)
French philosopher and
mathematician

Heiligen Schrift für ihn eine neue, überraschende Bedeutung, eine ungeheure Zeitnähe und einen ungeahnten Glanz.

Jahre waren seitdem vergangen. Aus dem Krieg im Innern,
gegen einzelne Menschen, war der Krieg gegen die Völker
geworden, der Zweite Weltkrieg.   5
   Hans hatte bereits zu studieren begonnen, als der Krieg
ausbrach. Zunächst war ihm noch eine ungewisse Frist
geblieben, sein Studium fortzusetzen. Dann wurde er zu
einer Sanitätskompagnie[1] eingezogen, und wenig später
machte er als Sanitäter[2] den Frankreichfeldzug[3] mit. Her- 10
nach wurde er einer Studentenkompagnie in München zugeteilt.[4] So konnte er dann weiterstudieren. Aber es war
ein höchst seltsames Studentenleben, halb Soldat, halb
Student, einmal in der Kaserne, dann wieder in der Universität oder in der Klinik. Das waren zwei entgegengesetzte 15
Welten, die sich nie vertragen wollten. Und Hans fiel dieses
zwiespältige Leben doppelt schwer. Schwerer noch und
dunkler aber lastete auf ihm, daß er in einem Staate leben
mußte, in dem die Unfreiheit, der Haß und die Lüge nun
zum Normalzustand geworden waren.   20
   Wurde nicht die Klammer[5] der Gewaltherrschaft immer
enger und unerträglicher? War nicht jeder Tag, an dem
man noch in Freiheit lebte, ein Geschenk? Denn niemand
war davor sicher, einer geringfügigen[6] Bemerkung wegen
verhaftet zu werden und vielleicht für immer zu ver- 25
schwinden. Konnte Hans sich wundern, wenn morgen früh

---

[1] **Sanitätskompagnie** medical
   corps
[2] **Sanitäter** "medic"
[3] **Frankreichfeldzug** French
   campaign

[4] **zugeteilt** assigned to
[5] **Klammer** clamp, vise
[6] **geringfügig** trivial

die Geheime Staatspolizei klingelte und seiner Freiheit ein Ende setzte?

Hans wußte gut, daß er nur einer von Millionen in Deutschland war, die ähnlich wie er empfanden. Aber 5 wehe, wenn jemand ein freies, offenes Wort riskierte. Er wurde unerbittlich ins Gefängnis geworfen. Wehe, wenn eine Mutter ihrem bedrängten Herzen Luft machte [1] und den Krieg verwünschte. Sie wurde ihres Lebens nicht so schnell wieder froh. Ganz Deutschland schien von geheim- 10 nisvollen Ohren belauscht.[2]

Im Frühjahr 1942 fanden wir wiederholt hektographierte Briefe in unserem Briefkasten. Sie enthielten Auszüge [3] aus Predigten des Bischofs von Münster,[4] Graf Galen, und sie verbreiteten einen wunderbaren Hauch von Mut und 15 Aufrichtigkeit.

„Noch steht ganz Münster unter dem Eindruck der furchtbaren Verwüstungen, die der äußere Feind und Kriegs- gegner in dieser Woche uns zugefügt [5] hat. Da hat gestern, zum Schlusse dieser Woche, am 12. Juli, die Geheime 20 Staatspolizei die beiden Niederlassungen [6] der Gesellschaft Jesu in unserer Stadt beschlagnahmt,[7] die Bewohner aus ihrem Eigentum vertrieben, die Patres [8] und Brüder ge- nötigt, unverzüglich,[9] noch am gestrigen Tage, nicht nur ihre Häuser, sondern auch die Provinz Westfalen und die 25 Rheinprovinz zu verlassen. Und das gleiche harte Los hat man ebenfalls gestern den Schwestern bereitet. Die Ordens- häuser und Besitzungen samt Inventar wurden zu Gunsten der Gauleitung Westfalen-Nord enteignet.

Wie soll das enden? Es handelt sich nicht etwa darum, 30 für obdachlose [10] Bewohner von Münster eine vorüber-

---

[1] **ihrem bedrängten Herzen Luft machte** gave vent to her feelings
[2] **belauscht** spied upon
[3] **Auszüge** excerpts
[4] **Münster** city in Westphalia
[5] **zugefügt** inflicted
[6] **Niederlassungen der Gesell- schaft Jesu** Jesuit monas- teries
[7] **beschlagnahmt** confiscated
[8] **Patres** fathers, priests
[9] **unverzüglich** without delay
[10] **obdachlos** homeless

gehende Unterkunft zu schaffen. Die Ordensleute waren bereit und entschlossen, ihre Wohnungen für solche Zwecke aufs äußerste einzuschränken,[1] um gleich anderen Obdachlose aufzunehmen und zu verpflegen. Nein, darum handelt es sich nicht. Im Immakulatakloster[2] in Wiking- 5 hege richtet sich, wie ich höre, die Gaufilmstelle[3] ein. Man sagt mir, in der Benediktinerabtei[4] St. Josef werde ein Entbindungsheim[5] für uneheliche[6] Mütter eingerichtet. Und keine Zeitung hat bisher berichtet von den freilich gefahrlosen Siegen, die in diesen Tagen die Beamten der 10 Gestapo über wehrlose Ordensmänner und schutzlose deutsche Frauen errungen haben, und von den Eroberungen, die die Gauleitung in der Heimat am Eigentum deutscher Volksgenossen[7] gemacht hat. Vergebens sind alle mündlichen und telegraphischen Proteste! 15

Gegen den Feind im Innern, der uns peinigt[8] und schlägt, können wir nicht mit Waffen kämpfen. Da bleibt nur ein Kampfmittel: starkes, zähes, hartes Durchhalten! Hart werden! Fest bleiben! Wir sehen und erfahren jetzt deutlich, was hinter den neuen Lehren steht, die man uns seit 20 einigen Jahren aufdrängt, denen zuliebe[9] man die Religion aus der Schule verbannt, unsere Vereine unterdrückt hat, jetzt die Kindergärten zerstören will: abgrundtiefer Haß gegen das Christentum, das man ausrotten[10] möchte.

Seit einigen Monaten hören wir Berichte, daß aus Heil- 25 und Pflegeanstalten für Geisteskranke auf Anordnung von Berlin Pfleglinge,[11] die schon länger krank sind und vielleicht unheilbar erscheinen, zwangsweise abgeführt werden. Regelmäßig erhalten dann die Angehörigen nach kurzer Zeit die Mitteilung,[12] der Kranke sei verstorben, die Leiche 30

---

[1] **einzuschränken** to restrict
[2] **Kloster** monastery
[3] **Gaufilmstelle** district movie headquarters
[4] **Abtei** abbey
[5] **Entbindungsheim** maternity hospital
[6] **unehelich** unmarried

[7] **Volksgenosse** citizen
[8] **peinigt** tortures
[9] **denen zuliebe** in favor of which
[10] **ausrotten** root out, exterminate
[11] **Pfleglinge** patients, charges
[12] **Mitteilung** communication

sei verbrannt, die Asche könne abgeholt werden. Allgemein
herrscht der an Sicherheit grenzende Verdacht, daß diese
zahlreichen, unerwarteten Todesfälle von Geisteskranken
nicht von selbst eintreten, sondern absichtlich herbeigeführt
5 werden, daß man dabei jener Lehre folgt, die behauptet,
man dürfe sogenanntes ‚lebensunwertes Leben‘ vernichten,
also unschuldige Menschen töten, wenn man meint, es sei
für Volk und Staat nichts mehr wert. Eine furchtbare
Lehre, die die Ermordung Unschuldiger rechtfertigen will,
10 die die gewaltsame Tötung der nicht mehr arbeitsfähigen
Invaliden, Krüppel, unheilbar Kranken, Altersschwachen [1]
grundsätzlich freigibt!“ [2]

Hans ist tief erregt, nachdem er diese Blätter gelesen hat.
„Endlich hat einer den Mut, zu sprechen.“ Dann sieht er
15 lange und ernst die Drucksachen an und sagt schließlich:
„Man sollte unbedingt einen Vervielfältigungsapparat
haben.“

Trotz allem, — Hans hatte eine Lebensfreude, die nicht so
20 schnell auszulöschen [3] war. Ja, je dunkler die Welt um ihn
wurde, umso heller und stärker entfaltete sich diese Kraft
in ihm. Und sie hatte sich sehr vertieft nach dem Erlebnis
des Krieges in Frankreich. In so großer Nähe zum Tode
hatte das Leben einen besonderen Glanz bekommen.
25 Hans hatte tatsächlich in jener Zeit ein ganz besonderes
Glück, guten Menschen zu begegnen. An einem sonnigen
Herbsttag lernte er einen silberhaarigen Gelehrten kennen.
Hans hatte eigentlich nur etwas abzugeben bei ihm. Aber
der Alte blickte mit seinen hellen Augen Hans ins Gesicht,
30 und als er ein paar Worte mit ihm gewechselt hatte, lud er
ihn ein, bald wiederzukommen. Von da an war Hans sein
täglicher Gast. Stundenlang konnte er sich mit der riesigen
Bibliothek beschäftigen. Hier verkehrten Dichter, Gelehrte und Philosophen. Hundert Türen und Fenster in die

---

[1] **Altersschwache** infirm aged   [3] **auslöschen** extinguish
[2] **freigibt** permits

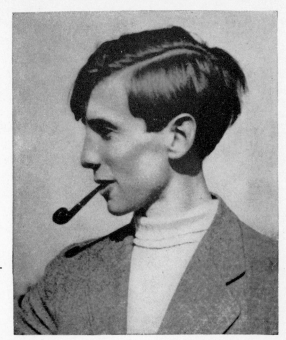

ALEXANDER SCHMORELL

KURT HUBER

WILLI GRAF

CHRISTOPH PROBST

Welt des Geistes taten sich ihm im Gespräch mit ihnen auf.
Aber er sah auch, daß sie wie Kellerpflanzen in dieser Unfreiheit lebten, und daß sie alle von der einen, großen
Sehnsucht erfüllt waren, wieder frei atmen, frei schaffen zu
dürfen und ganz wieder sie selbst zu sein.   5

Auch unter den Studenten traf Hans manchen, der seiner
Gesinnung war. Einer fiel ihm unter allen besonders auf
durch seine hochgewachsene Gestalt und sein völlig un-
militärisches, elegantes, unbekümmertes Benehmen. Das
war Alexander Schmorell, der Sohn eines angesehenen 10
Arztes in München. Bald entspann [1] sich zwischen ihnen
eine herzliche Freundschaft, die zunächst damit begann,
daß sie in tiefstem Einvernehmen [2] das sture [3] Kasernen-
dasein mit unzähligen witzigen Einfällen und Streichen [4] auf
den Kopf stellten. Ich glaube, es gab wenig Menschen, die 15
einen solch strahlenden, seelenruhigen [5] Humor hatten wie
Alex. Er sah die Welt mit Augen so voll von Phantasie,
als sehe er sie täglich neu und zum erstenmal. Schön fand
er sie, originell und voller Witz und Kuriosität. Und er
genoß sie in einer großzügigen [6] und kindlichen Lust und 20
fragte und rechnete nicht viel nach.[7] Und genau so, wie er
in vollen Zügen [8] nahm, so gab er auch. Er konnte schenken
wie ein König. Aber zuweilen schimmerte durch diese
Heiterkeit, durch seine freie, ungebundene Lebensart noch
etwas anderes, ein Fragen und Suchen, ja ein uralter, tiefer 25
Ernst. Als kleines Kind war er im Arm einer Kinderfrau
mit seinen Eltern aus Rußland geflohen.

Durch Alex gewann Hans noch einen weiteren Freund
unter den Studenten. Das war Christl Probst. Hans hatte
bald erkannt, daß zwischen ihm und Christl eine tiefe, 30
innere Verwandtschaft bestand. Die gleiche Liebe zur
Schöpfung, dieselben Bücher und Philosophen waren es,

---

[1] **entspann sich** developed
[2] **in tiefstem Einvernehmen**
    in whole-hearted agreement
[3] **stur** deadly dull, mechanical
[4] **Streiche** practical jokes
[5] **seelenruhig** placid
[6] **großzügig** unrestrained
[7] **rechnete nach** calculated
[8] **in vollen Zügen** without re-
    straint

die sie beide bewegten. Christl kannte die Sterne und **22**
wußte viel von den Steinen und Pflanzen der oberbayerischen
Berge, in denen er zuhause war. Am stärksten jedoch
verband Hans mit ihm das gemeinsame Suchen nach dem
5 Einen, das hinter all den Dingen, hinter den Menschen und
ihrer Geschichte steht. Christl hing mit großer Verehrung
an seinem Vater, der ein feinsinniger Privatgelehrter
gewesen war. Vielleicht hat dessen früher Tod viel zu
Christls ungewöhnlicher Reife beigetragen. Als einziger
10 der vier Studenten war er verheiratet. Er hatte zwei
reizende Söhne im Alter von zwei und drei Jahren.

Später gesellte sich noch ein Vierter hinzu: Willi Graf, ein
blonder, großer Saarländer.[1] Ein ziemlich schweigsamer
Kerl war er, bedächtig und in sich gekehrt.[2] Aber als Hans
15 ihm in das Gesicht sah, dachte er: der gehört zu uns. Auch
Willi Graf beschäftigte sich intensiv mit Fragen der Philosophie und Theologie. Sophie sagte über ihn: „Wenn er
etwas sagt, in seiner bedächtigen Art, so hat man den Eindruck, als habe er es nicht eher aussprechen können, bis
20 er sich mit seiner ganzen Person dazu stellen[3] konnte. Deshalb wirkt alles an ihm so sauber, echt und zutiefst zuverlässig." Willis Vater, Geschäftsführer eines größeren
Unternehmens, war es gewohnt, daß sein Sohn seinen eigenen
Weg ging. Schon früh hatte er sich einer sehr lebendigen
25 katholischen Jugendgruppe angeschlossen, und die Verhaftungswelle, die im Jahre 1938 Hans erfaßte, hatte auch
Willi zu verspüren[4] bekommen. Nun studierte er, wie
Christl, Alex und Hans, Medizin.

Oft trafen sie sich nach einem Konzert in der italienischen
30 Weinstube von Lombardi. Bald aber fühlten sie sich in
Hans' Bude oder bei Alex wie zu Hause. Sie machten sich
gegenseitig auf Bücher aufmerksam, lasen etwas vor, dis-
kutierten, oder sie verfielen plötzlich in einen tollen Über-

---

[1] **Saarländer** native of the
Saar, an industrial region in
southwest Germany

[2] **in sich gekehrt** introspective
[3] **sich stellen** take a stand
[4] **verspüren** feel

mut und erfanden allen möglichen Unsinn. Es steckte ja
ein solcher Überschuß an Phantasie, an Humor und Lebenslust in ihnen, — der mußte sich manchmal Luft machen.

Es war am Vorabend von Sophies einundzwanzigstem
Geburtstag.   5

„Ich kann's noch kaum glauben, daß ich morgen mit dem
Studium anfangen darf", hatte sie beim Gutenachtgruß zu
der Mutter gesagt, die in der Diele [1] stand und Sophies Blu-
sen bügelte. Auf dem Boden lag ein offener Koffer mit
Kleidern und frischer Wäsche und mit all den tausend 10
Kleinigkeiten, die Sophie für den neuen Studentenhaus-
halt haben mußte. Daneben eine Tasche mit einem knusprig [2]-braunen, duftenden Kuchen. Sophie beugte sich
hinunter und schnupperte [3] daran. Dabei entdeckte sie eine
Flasche Wein, die daneben steckte.   15

Lange genug hatte Sophie auf diesen Tag warten müssen.
Eine schwere Geduldsprobe war das schon gewesen. Zuerst Arbeitsdienst,[4] ein halbes Jahr, das kein Ende nehmen
wollte. Und dann, als sie eben zum Sprung [5] in die ersehnte
Freiheit ansetzte, eine neue Schranke: [6] noch ein weiteres 20
halbes Jahr Kriegshilfsdienst.[7] Sie wollte gewiß nicht sen-
timental sein, aber was sie da gelitten hatte ... Arbeit
hatte sie nie gefürchtet, aber das andere, den Zwang, den

[1] **Diele** large vestibule
[2] **knusprig** crisp
[3] **schnupperte** sniffed
[4] **Arbeitsdienst** a period of
manual labor required of all
young people. It was intro-
duced before the Nazis came
into power to help combat
unemployment but was
greatly expanded by them
[5] **zum Sprung ansetzte** was
about to make the leap
[6] **Schranke** barrier
[7] **Kriegshilfsdienst** war work in
factories or on farms

Massenbetrieb [1] im Lager, die Schablone.[2] Und auch dies
wäre noch zur Not zu ertragen gewesen, wenn nicht ihre
Überzeugung sie in eine tiefe, ununterbrochene Abwehrstellung [3] gezwungen hätte. Und war es nicht eine unverzeih-
5 liche Charakterlosigkeit von ihr, wenn sie auch nur einmal
eine Hand für einen Staat rührte, dessen Fundamente doch
Lüge, Haß und Unfreiheit waren? „Ich möchte, daß ihr
gerad und frei durchs Leben geht", hatte der Vater gesagt.
Wie unsäglich schwer das sein konnte. Sophie hatte diesen
10 Konflikt manchmal wie eine übergroße Last empfunden und
war damit unter den vielen Mädchen beim Arbeitsdienst
einsam geworden. So hielt sie sich ganz im Hintergrund
und versuchte den Eindruck zu erwecken, als sei sie nicht da.
Mochten die Kameradinnen von ihr denken, was sie wollten.
15 Sie mußte auf die Stimme hören, die so deutlich in ihr
sprach. Was Heimweh und Verlassenheit war, das hatte
sie damals erfahren, wie noch nie. Aber zwei Dinge hatte
sie sich von daheim, von der andern Welt, bewahrt, und an
denen hielt sie fest. Sie waren wie zwei Pfähle [4] in diesem
20 Meer von Fremdheit und Widersinn.[5] Das eine war das
Bedürfnis, ihren Körper zu pflegen wie den eines Kindes.
Das andere waren die Gedanken des Augustinus.[6] Eigene
Bücher zu haben, war streng verboten. Den Augustinus
hielt sie an einem sicheren Platz verborgen. In ihm hatte
25 sie einen Satz gefunden, der war für sie geschrieben, für
sie ganz genau, und er war doch schon über tausend Jahre
alt: „Du hast uns geschaffen hin zu Dir und unruhig ist
unser Herz, bis es ruht in Dir." Ach, es war ja nicht mehr
das alte Kinderheimweh von früher, es ging viel weiter, und
30 Sophie empfand die Welt manchmal als einen endlos fremden, öden, gottverlassenen Raum. Da hatten die Menschen
die wunderbare Möglichkeit, einander zu lieben. Und wußten nichts anderes, als sich wehe zu tun.

[1] **Massenbetrieb** mass activity
[2] **Schablone** stereotyped routine
[3] **Abwehrstellung** defensive-
ness

[4] **Pfahl** pillar
[5] **Widersinn** senselessness
[6] **Augustinus** St. Augustine

Sophie hatte in der Nähe des Lagers eine kleine Kapelle entdeckt. Manchmal war sie dorthin gegangen. Schön war es gewesen, an der Orgel zu sitzen und zu spielen — und dazwischen nichts zu tun als nachzudenken und in die Natur hinauszuhören, in der sich ihre zerrissene Welt sanft 5 ineinanderfügte [1] und wieder Ordnung und Sinn gewann. Jede freie Stunde hatte sie genützt, um hinauszuschlüpfen in den großen Park um das Lager, der überall in Wald und Wiese überging. Ganz still hatte sie dagelegen, selbst ein kleines Stück Natur, um das die Rehe [2] arglos [3] ästen [4] und 10 das ein Eichhörnchen [5] ungeniert [6] beschnupperte,[7] — dann fuhr es freilich beim leisesten Atemzug wie ein roter Blitz an der Tanne hoch. Wie schön war der Umriß [8] einer Tanne, in welcher Gelassenheit lebte solch ein Baum dahin. Wie schön das Moos an seinem Stamm, das so selbstverständlich 15 von seinen Kräften zehrte.[9] Das Leben, wie groß war es und unfaßlich. Sophie fühlte, daß ihre Haut fein und porös geworden war, als könne sie es einatmen, das wunderbare, schöne Dasein der Dinge. Doch dann brach der Konflikt wieder in ihrem Herzen auf und zog die ganze Welt hinein 20 in seine Traurigkeit.

Jetzt aber war sie frei. Und morgen wollte sie nach München fahren, ihr Leben selbst formen, an die Universität, zu Hans...

Die Mutter stand immer noch in der Diele [10] und bügelte. 25 Sorgfältig fuhr sie mit dem Eisen über Sophies Bluse. Nun war sie also auch so weit, ihre Jüngste, ihr kleiner, eigenwilliger Wisch.[11] Was wohl aus ihr werden würde? Eine Welle von Hoffnung rann durch das Herz der Mutter. Ach, die würde ihre Sache schaffen, wohin sie auch gestellt 30

[1] **ineinanderfügte** was [made whole
[2] **Reh** deer
[3] **arglos** unsuspectingly
[4] **ästen** grazed
[5] **Eichhörnchen** squirrel
[6] **ungeniert** unabashedly
[7] **beschnupperte** sniffed at
[8] **Umriß** outline
[9] **zehrte** nourished itself
[10] **Diele** large vestibule
[11] **Wisch** *term of affection*

wurde. Der glückte doch alles, was sie in die Hände nahm.
Die Gedanken der Mutter wanderten weiter, von einem
Kind zum andern. Sie blieben am Jüngsten haften.[1] Der
war in Rußland. Was er wohl jetzt im Augenblick tat?
5 Ach, wenn der Krieg erst zu Ende wäre und sie alle um den
Tisch versammelt wären. Sie kniete am Boden und machte
den Koffer zu. „Sie sind in Gottes Hand", sagte sie und
fing an aufzuräumen.[2] Dazu sang sie leise, und plötzlich
merkte sie, daß es das alte Lied war, mit dem sie oft ihre
10 Kinder in den Schlaf gesungen hatte. „Breit aus die
Flügel beide . . ."

Manchmal wurde Mutters friedliches Herz von einer großen, fremden Sorge zermartert.[3] Vor einiger Zeit nämlich
hatte es zu ungewöhnlicher Morgenstunde geklingelt, und
15 drei Männer von der Geheimen Staatspolizei hatten Vater
zu sprechen gewünscht. Zuerst hatte es zwischen ihnen
eine längere Unterredung[4] gegeben, danach eine Durchsuchung der Wohnung, dann waren sie gegangen und
hatten Vater mitgenommen. An diesem Tag spürten wir
20 bis ins Mark,[5] daß wir entsetzlich ohnmächtig waren. Was
war denn ein Mensch in diesem Staat? Ein bißchen Staub,
das man mit der Fingerspitze wegtupfte.[6] Nur durch einen
besonders glücklichen Umstand, der wie ein Wunder war,
wurde Vater wieder aus dem Gefängnis entlassen. Aber es
25 wurde ihm bedeutet,[7] daß der „Fall" noch nicht erledigt
sei. Mein Vater war durch eine Angestellte[8] angezeigt[9]
worden, der er unvorsichtigerweise seine eigene Meinung
über Hitler gesagt hatte. Er hatte ihn vor ihren Ohren eine
Gottesgeißel[10] der Menschheit genannt.
30 Was wird nun weiter werden? Manchmal waren wir

---

[1] **blieben haften** stopped
[2] **aufzuräumen** to tidy up
[3] **zermartert** tormented
[4] **Unterredung** interview
[5] **Mark** marrow
[6] **wegtupfte** brushed away

[7] **es wurde ihm bedeutet** he
was given to understand
[8] **Angestellte** employee
[9] **angezeigt** denounced
[10] **Gottesgeißel** Scourge of God

voller Hoffnung, daß sich doch alles noch zum Guten wenden werde. Doch immer wieder kroch diese eisige, quälende Ungewißheit in unseren Herzen empor, daß eine furchtbare Pranke [1] über uns war, die jede Minute niederfallen konnte, und niemand wußte, wer der nächste war. 5

„Dies Kind soll unverletzet [2] sein", sang die Mutter beharrlich ihr Lied zu Ende. Heute verdrängten Sophies Freude und die vielerlei Vorbereitungen für ihre Abreise die Sorge aus ihrem Herzen.

Ich sehe sie noch vor mir, meine Schwester, wie sie am 10 nächsten Morgen dastand. Reisefertig und voll Erwartung. Eine gelbe Margerite vom Geburtstagstisch [3] steckte an ihrer Schläfe, [4] und es sah schön aus, wie ihr so die dunkelbraunen Haare glatt und glänzend auf die Schultern fielen. Aus ihren großen, dunklen Augen sah sie sich die Welt an, 15 prüfend und doch mit einer tiefen, warmen Teilnahme. Ihr Gesicht war noch sehr kindlich und zart. Ein wenig von der schnuppernden [5] Neugier eines jungen Tieres war darin und ein großer Ernst.

Als Sophie endlich in die Bahnhofshalle Münchens ein- 20 fuhr, sah sie schon von weitem das fröhliche Gesicht ihres Bruders. Wie da in einem Nu [6] alles vertraut war! „Heute Abend wirst du meine Freunde kennen lernen", sagte Hans. Er ging groß und sicher neben ihr her.

Am Abend trafen sich alle in Hans' Zimmer. Sophie und 25 ihr Geburtstagskuchen waren der gefeierte Mittelpunkt. Sie fühlte sich unbeschreiblich wohl in diesem Kreis, wenn sie auch noch ein wenig benommen [7] war von all dem Neuen. . . .

[1] **Pranke** claw
[2] **unverletzet** unharmed
[3] **Geburtstagstisch** a German custom: when a member of the family has a birthday, his gifts are arranged on a special table, which he usually finds ready for him when he comes down to breakfast. There are always flowers on the "birthday table."
[4] **Schläfe** temple
[5] **schnuppernden** sniffing
[6] **in einem Nu** in an instant
[7] **benommen** confused

Sophie wohnte diese Nacht bei ihrem Bruder. Sie dachte
noch über den Abend nach. Zuerst hatten die Studenten
von ihrer Arbeit in den Krankenhäusern und Lazaretten [1]
erzählt, in denen sie während der Ferien Dienst machten.
5 „Es gibt nichts Schöneres, als so von Bett zu Bett zu gehen
und das gefährdete Leben in den Händen zu halten. Da
finde ich Augenblicke, in denen ich uneingeschränkt [2]
glücklich bin", hatte Hans gesagt. „Aber ist es nicht ein
Unsinn", fragte da plötzlich jemand, „daß wir daheim in un-
10 seren Zimmern sitzen und lernen, wie man Menschen heilt,
während draußen der Staat täglich zahllose junge Menschenleben in den Tod treibt? Worauf warten wir eigentlich? Bis eines Tages der Krieg zu Ende ist und alle Völker
auf uns deuten und sagen, wir haben eine solche Regierung
15 widerstandslos ertragen?"

Auf einmal war das Wort Widerstand gefallen. Sophie
entsann sich nicht mehr, wer es zuerst gesagt hatte. In
allen Ländern Europas erwachte er unter der Not und
Angst und Unterdrückung, die mit Hitlers Herrschaft
20 einzog.

Im Einschlafen sah sie halb träumend einen Himmel
über Deutschland, voll flatternder Flugblätter, die zur
Erde niederwirbelten. [3]

„Man sollte einen Vervielfältigungsapparat haben",
25 hörte sie plötzlich Hans sagen. „Wie?" „Ach, vergiß es
wieder, Sophielein, ich wollte dich nicht stören."

Durch einen jungen evangelischen Theologen erhielten
wir damals Kenntnis [4] von den „Korrekturen", die man von

---

[1] **Lazarett** military hospital
[2] **uneingeschränkt** unreserv-
edly

[3] **niederwirbelten** swirled down
[4] **erhielten Kenntnis** were in-
formed

Staats wegen [1] vorbereitete, um sie nach dem Endsieg an den Glaubensgrundsätzen des Christentums vorzunehmen. Grauenvolle und lästerliche [2] Eingriffe, [3] die man behutsam hinter dem Rücken der Männer plante, welche an den Fronten standen und unbeschreibliche Strapazen [4] aushalten 5 mußten.

Ebenso geheimnisvoll bereitete man Anordnungen für Mädchen und Frauen vor. Sie sollten nach dem Kriege diesen furchtbaren Menschenverlust durch eine ebenso planmäßige, wie schamlose Bevölkerungspolitik [5] wieder gut- 10 machen. Schon Gauleiter Gießler hatte in einer großen Studentenversammlung den Studentinnen zugerufen, sie sollten sich während des Krieges nicht länger an den Universitäten herumdrücken, [6] sondern „lieber dem Führer ein Kind schenken". 15

Die Studenten hatten einen Professor entdeckt, der war, wie einer versicherte, das beste Stück an der ganzen Universität. Es war Professor Huber, Sophies Lehrer in Philosophie. Bei ihm erschienen auch die Mediziner in den Vorlesungen, und man mußte früh da sein, wenn man einen 20 Platz bekommen wollte. Er las [7] über Leibniz [8] und seine Theodizee. Es waren herrliche Vorlesungen. Theodizee, das heißt Rechtfertigung Gottes. Die Theodizee war ein großes und schwieriges Kapitel der Philosophie. Beson-

---

[1] **von Staats wegen** for reasons of state
[2] **lästerlich** blasphemous
[3] **Eingriffe** encroachments
[4] **Strapazen** hardships
[5] **Bevölkerungspolitik** policy for increasing the population
[6] **sich herumdrücken** loaf around
[7] **las** lectured
[8] **Gottfried Wilhelm Leibniz** (1646–1716) famous German philosopher, mathematician and physicist

ders schwierig im Krieg. Denn wie lassen sich in einer Welt, über die Mord und Not rast, die Spuren Gottes erkennen?

Wenn aber ein Lehrer wie Huber sie aufwies, wurde
5 solche Deutung zum unvergeßlichen Erlebnis, das Licht auf eine Gegenwart warf, die sich nicht nur über Gottes Ordnung hinwegsetzten,[1] sondern Gott selbst ausmerzen [2] wollte. Es dauerte nicht lange, da hatte Hans Bekanntschaft mit Professor Huber angeknüpft,[3] und nun kam auch dieser zu-
10 weilen in ihren Kreis und diskutierte mit ihnen. An allen ihren Problemen war er ebenso brennend interessiert wie sie selbst. Und obgleich er schon graue Haare hatte, war er doch ihresgleichen.

Noch kaum sechs Wochen war Sophie in München, da
15 ereignete sich etwas Unglaubliches an der Universität. Flugblätter wurden von Hand zu Hand gereicht, Flugblätter, von einem Vervielfältigungsapparat abgezogen.[4] Eine merkwürdige Erregung entstand unter der Studentenschaft. Triumph und Begeisterung, Ablehnung und
20 Wut wogten [5] und schwelten [6] durcheinander. Sophie jubelte heimlich, als sie davon hörte. Also doch,[7] es lag in der Luft. Endlich hatte einer etwas gewagt. Begierig griff sie nach einem der Blätter und begann zu lesen. „Die Flugblätter der Weißen Rose", stand darüber geschrieben.
25 „Nichts ist eines Kulturvolkes unwürdiger, als sich ohne Widerstand von einer verantwortungslosen und dunklen

---

[1] **sich ... über ... hinwegsetzen** disregard
[2] **ausmerzen** eliminate
[3] **Bekanntschaft angeknüpft** made acquaintance
[4] **abgezogen** run off
[5] **wogten** surged
[6] **schwelten** smoldered
[7] **also doch** so it was true after all

Trieben ergebenen Herrscherclique regieren zu lassen..."
Sophies Augen flogen weiter. „Wenn jeder wartet, bis der
Andere anfängt, werden die Boten der rächenden Nemesis [1]
unaufhaltsam näher und näher rücken, dann wird auch das
letzte Opfer sinnlos in den Rachen [2] des unersättlichen 5
Dämons geworfen sein. Daher muß jeder Einzelne seiner
Verantwortung als Mitglied der christlichen und abend-
ländischen [3] Kultur bewußt in dieser letzten Stunde sich
wehren, so viel er kann, arbeiten wider die Geißel [4] der
Menschheit, wider den Faschismus und jedes ihm ähnliche 10
System des absoluten Staates. Leistet passiven Widerstand
— *Widerstand* —, wo immer ihr auch seid, verhindert das
Weiterlaufen dieser atheistischen Kriegsmaschine, ehe es zu
spät ist, ehe die letzten Städte ein Trümmerhaufen sind, 15
gleich Köln, und ehe die letzte Jugend des Volkes irgendwo
für die Hybris [5] eines Untermenschen verblutet ist. Vergeßt
nicht, daß ein jedes Volk diejenige Regierung verdient, die
es erträgt..."

Sophie kamen diese Worte seltsam vertraut vor, als seien 20
es ihre eigensten Gedanken. Ein Verdacht erhob sich in
ihr und griff mit eisiger Hand nach ihrem Herzen. Wie,
wenn Hans' Bemerkung von dem Vervielfältigungsapparat
mehr als ein achtlos hingesprochenes Wort gewesen war?
Aber nein, nie und nie! 25

Als Sophie aus der Universität in die helle Sonne hinaus-
trat, wich die Beklemmung [6] von ihr. Wie hatte sie nur auf
diesen wahnsinnigen Verdacht kommen können! In München brodelte [7] es nun einmal an allen Enden vor heimlicher
Empörung, das lag in der Luft. 30

Wenige Minuten später stand sie in Hans' Zimmer. Es
roch nach Jasmin und Zigaretten. An den Wänden hingen,
mit Stecknadeln angeheftet,[8] einige Drucke neuerer fran-

---

[1] **Nemesis** goddess of revenge
[2] **Rachen** jaws
[3] **abendländisch** Occidental
[4] **Geißel** scourge
[5] **Hybris** overweening pride
[6] **Beklemmung** constricted feeling
[7] **brodelte** was bubbling and boil-
ing
[8] **angeheftet** fastened

zösischer Malerei. Sophie hatte ihren Bruder heute noch nicht gesehen, wahrscheinlich war er in der Klinik. Sie wollte auf ihn hier warten. Das Flugblatt hatte sie vergessen. Sie blätterte ein wenig in den Büchern, die auf dem
5 Tisch lagen. Da, hier war eine Stelle mit einem Lesezeichen [1] versehen und mit einem feinen Bleistiftstrich am Rand. Ein altmodischer Klassikerband war es, von Schiller,[2] und die aufgeschlagene Stelle handelte über des Lykurgus [3] und des Solon [4] Gesetzgebung. Sie las: „Alles darf dem Besten
10 des Staates zum Opfer gebracht werden, nur dasjenige nicht, dem der Staat selbst nur als Mittel dient. Der Staat selbst ist niemals Zweck, er ist nur wichtig als eine Bedingung, unter welcher der Zweck der Menschheit erfüllt werden kann, und dieser Zweck der Menschheit ist kein
15 anderer, als Ausbildung aller Kräfte des Menschen, Fortschreitung.[5] Hindert eine Staatsverfassung,[6] daß alle Kräfte, die im Menschen liegen, sich entwickeln, hindert sie die Fortschreitung des Geistes, so ist sie verwerflich [7] und schädlich, sie mag übrigens noch so durchdacht und in
20 ihrer Art noch so vollkommen sein ..." Wo hatte sie diese Worte gelesen, war dies nicht erst heute gewesen? — Das Flugblatt! Dort standen diese Sätze. Einen langen, qualvollen Augenblick war es Sophie, als sei sie nimmer [8] sie selbst. Eine erstickende Angst ergriff von ihr Besitz, und
25 ein einziger großer Vorwurf gegen Hans quälte sie. Warum gerade er? Dachte er nicht an den Vater, an die ohnehin schon gefährdeten Lieben daheim? Warum überließ er das nicht einfach politischen Menschen, Leuten mit Erfahrung und Routine? Warum erhielt er sein Leben nicht
30 für eine große Aufgabe, er, mit seinen ungewöhnlichen

---

[1] **Lesezeichen** bookmark
[2] **Friedrich Schiller** (1759–1805) famous German dramatist and poet
[3] **Lykurgus** ancient Spartan lawmaker
[4] **Solon** ancient Athenian lawmaker

[5] **Fortschreitung** progress
[6] **Staatsverfassung** national constitution
[7] **verwerflich** reprehensible
[8] **nimmer = nicht mehr** no longer

Begabungen? Das Schrecklichste aber war dies: nun war er vogelfrei.[1] Er hatte sich aus der letzen Zone der Sicherheit herausbegeben. Nun stand er in dem Bereich des Wagnisses, am Rande des Daseins, in jenem ungeheuren Bezirk,[2] in dem schrittweise neues Land für die Menschen 5 erobert werden mußte, erkämpft, errungen, erlitten.

Sophie versuchte ihrer Angst Herr zu werden. Sie versuchte, nicht mehr an das Flugblatt zu denken, sie dachte nicht mehr an Widerstand. Sie dachte an ihren Bruder, den sie lieb hatte. Er trieb in einem Meer der Bedrohung. 10 Durfte sie ihn jetzt allein lassen? Konnte sie hier dasitzen [3] und zusehen, wie Hans ins Verderben lief? Mußte sie nicht gerade jetzt ihm beistehen?

Mein Gott, ließe sich nicht alles noch einmal abstoppen? Konnte sie ihn nicht ans sichere Land zurückziehen und 15 ihn den Eltern, sich selbst, der Welt und dem Leben erhalten? Aber sie wußte genau: er hatte die Grenzen, hinter denen die Menschen sich wohnlich und sicher einrichten, übersprungen. Für ihn gab es kein Zurück mehr.

Endlich kam Hans. 20

„Weißt du, woher die Flugblätter kommen?" fragte Sophie.

„Man soll heute manches nicht wissen, um niemanden in Gefahr zu bringen."

„Aber Hans. Allein schafft man so etwas nicht. Daß 25 heute nur noch einer von einer solchen Sache wissen darf, zeigt doch, wie unheimlich diese Macht ist, die es fertig bringt, die engsten menschlichen Beziehungen zu zerfressen und uns zu isolieren. Allein kommst du gegen sie nicht an."

In der darauffolgenden Zeit erschienen in kurzen Abstän- 30 den [4] drei weitere Blätter der Weißen Rose. Sie tauchten [5] auch außerhalb der Universität auf, in ganz München

---

[1] **vogelfrei** outlawed
[2] **Bezirk** region
[3] **dasitzen** sit by

[4] **in kurzen Abständen** at short intervals
[5] **tauchten auf** turned up

flatterten sie da und dort in die Briefkästen. Und auch in
anderen süddeutschen Städten wurden sie verbreitet.
Dann sah man nichts mehr von ihnen.

In der Studentenkompagnie ging das Gerücht, daß die
5 Medizin-Studenten während der Semesterferien zu einem
Fronteinsatz [1] nach Rußland abkommandiert werden sollten. Über Nacht, kurz vor Abschluß des Semesters, wurde
dieses Gerücht durch einen Befehl Wirklichkeit. Von einem Tag auf den andern mußten sie sich zum Abtransport
10 nach Rußland bereit machen.

Wieder hatten sich die Freunde versammelt; es war der
letzte Abend vor der Fahrt nach Rußland. Sie wollten Abschied feiern. Professor Huber war auch gekommen, und
noch einige weitere, zuverlässige Studenten hatte man ein-
15 geladen. Obwohl es schon Wochen zurücklag, standen
alle noch unter dem Eindruck der Flugblätter. Inzwischen
hatten sich auch die andern in ähnlich behutsamer Weise
wie Sophie neben Hans gestellt und waren zu Mitwissenden
und zu Mittragenden der großen Verantwortung geworden.
20 An diesem letzten Abend wollten sie noch einmal alles
gründlich überblicken und besprechen, und am Ende einer
ernsten Aussprache faßten sie einen Entschluß: wenn sie das
Glück haben sollten, aus Rußland zurückzukehren, so
sollte die Aktion der Weißen Rose sich ganz entfalten und
25 der kühne Beginn zu sorgsam durchdachtem, hartem
Widerstand werden. Man war sich darüber einig, daß
dann der Kreis erweitert werden müßte. Jeder sollte mit
größter Sorgfalt prüfen, wer von seinen Freunden und
Bekannten zuverlässig genug war, um eingeweiht [2] zu wer-
30 den. Jedem sollte eine kleine, wichtige Aufgabe übertragen
werden. Die Fäden des Ganzen sollten in der Hand von
Hans zusammenlaufen.

„Unsere Aufgabe wird sein", sagte Professor Huber, „die
Wahrheit so deutlich und hörbar als möglich hinauszurufen

[1] **Fronteinsatz** service at the front   [2] **eingeweiht** initiated

in die deutsche Nacht. Wir müssen versuchen, den Funken des Widerstandes, der in Millionen ehrlicher deutscher Herzen glimmt, anzufachen,[1] daß er hell und mutig lodert. Die Einzelnen, die vereinsamt und isoliert gegen Hitler stehen, müssen spüren, daß eine große Schar Gleichgesinn- 5 ter[2] mit ihnen ist. Das wird ihnen Mut und Ausdauer geben. Darüber hinaus müssen wir versuchen, den Teil der Deutschen, die sich noch nicht klar geworden sind über die dunklen Absichten unseres Regimes, aufzuklären und auch in ihnen den Entschluß zu Widerstand und aufrechter 10 Abwehr[3] zu wecken. Vielleicht gelingt es, in letzter Stunde, die Tyrannis abzuschütteln und den wunderbaren Augenblick zu nützen, um gemeinsam mit den anderen Völkern Europas eine neue, menschlichere Welt aufzubauen."

„Und wenn es nicht gelingt?" erhob sich eine Frage. „Ich 15 zweifle sehr, daß es möglich sein wird, gegen diese eisernen Wände von Angst und Schrecken anzurennen, die jeden Willen zur Erhebung schon im Keim ersticken."

„Dann müssen wir es trotzdem wagen", entgegnete Christl leidenschaftlich. „Dann haben wir durch unsere 20 Haltung und Hingabe zu zeigen, daß es noch nicht aus ist mit der Freiheit des Menschen. Einmal muß das Menschliche hoch emporgehalten werden, dann wird es eines Tages wieder zum Durchbruch kommen. Wir müssen dieses Nein riskieren gegen eine Macht, die sich anmaßend[4] über 25 das Innerste und Heiligste des Menschen stellt und die Widerstrebenden ausrotten[5] will. Wir müssen es tun um des Lebens willen, — diese Verantwortung kann uns niemand abnehmen. Der Nationalsozialismus ist der Name für eine böse, geistige Krankheit, die unser Volk befallen 30 hat. Wir dürfen nicht zusehen und schweigen, wenn es langsam zerrüttet[6] wird."

Lange saßen sie in dieser Nacht beisammen. In solchen

[1] **anzufachen** to kindle
[2] **Gleichgesinnter** of like-minded people
[3] **Abwehr** defence
[4] **anmaßend** presumptuously
[5] **ausrotten** exterminate
[6] **zerrüttet** eaten away, ruined

Gesprächen, im Für und Wider der Meinungen und Bedenken,[1] erwarben sie sich die klare, feste Schau, die notwendig war, um innerlich zu bestehen. Denn es kostete
keine geringe Kraft, gegen den Strom zu schwimmen.
5 Schwieriger aber und bitterer noch war es, die äußere
militärische Niederlage dem eigenen Volke wünschen zu
müssen; sie schien die einzige Möglichkeit zu sein, es von
dem Parasiten zu befreien, der sein innerstes, reinstes Mark [2]
aussaugte.

10 Dann waren die Studenten fortgezogen. München war für
Sophie leer und fremd geworden. Sie packte ihre Sachen
und fuhr nach Hause.

Sophie war noch nicht lange daheim, da erhielt der Vater
mit der Morgenpost eine Anklageschrift [3] vom Sonder-
15 gericht.[4] Eine Verhandlung wurde inszeniert, bei der er
zu vier Monaten Gefängnis verurteilt wurde.

Der Vater im Gefängnis und die Brüder und Freunde alle
in Rußland, unerreichbar fern.

Es war sehr still geworden daheim. Aber schön war es,
20 trotzdem, und Sophie genoß das Zuhause. Wie ein Schiff
war es, das zäh und stetig auf dem tiefen, unheimlichen
Meer dieser Zeit trieb. Wie ein Schiff — aber das bebte und
zitterte manchmal —, wie ein kleines, winziges Boot auf
dunklen, undurchsichtigen, unberechenbaren [5] Wogen.[6]
25 Bei einem Gewitter war sie mit dem kleinen Jungen,
der im Haus wohnte und den Sophie sehr liebte, auf die
kleine Plattform auf dem Dach des Hauses gestiegen, um
rasch noch die Wäsche vor dem anziehenden Gewitter-
regen zu retten. Bei einem gewaltigen Donnerschlag blickte
30 das Kind angstvoll zu ihr auf. Da zeigte sie ihm den Blitz-

[1] **Bedenken** doubts
[2] **Mark** marrow
[3] **Anklageschrift** indictment
[4] **Sondergericht** special court

[5] **unberechenbar** unpredictable
[6] **Wogen** waves

ableiter.[1] Nachdem sie ihm dessen Funktion erklärt hatte, fragte er: „Aber weiß der liebe Gott denn auch etwas von dem Blitzableiter?" „Er weiß alle Blitzableiter und noch viel mehr, sonst stünde sicherlich kein Steinchen mehr auf dem andern in dieser Welt. Du brauchst keine Angst zu 5 haben."

Ab und zu erhielt Mutter Besuch von ihren früheren Freundinnen, den Diakonissenschwestern[2] aus Schwäbisch-Hall.[3] Dort war eine große Heilanstalt für geisteskranke Kinder. 10

Eines Tages kam wieder eine der Schwestern; sie war traurig und verzagt,[4] und wir wußten nicht, wie wir ihr helfen konnten. Schließlich erzählte sie den Grund ihres Kummers. Ihre Schützlinge wurden seit einiger Zeit truppweise von schwarzen Lastwagen[5] der SS abgeholt und vergast.[6] 15 Nachdem die ersten Trüppchen von ihrer geheimnisvollen Fahrt nicht wiederkehrten, ging eine merkwürdige Unruhe durch die Kinder in der Anstalt. „Wo fahren die Wagen hin, Tante?" — „Sie fahren in den Himmel", antworteten die Schwestern in ihrer ohnmächtigen Ratlosigkeit.[7] Von da an 20 stiegen die Kinder singend in die fremden Wagen.

„Aber nur über meine Leiche", hatte einer der Ärzte einer solchen Anstalt gesagt. Man weiß nicht, was aus ihm geworden ist.

Ein Soldat kam auf Urlaub aus Rußland nach Hause. Er 25 war der Vater eines solchen Kindes, und er hatte berechtigte Hoffnung, daß es wieder seine gesunden Sinne bekommen würde. Er liebte dieses Wesen, wie man eben nur sein eigenes Kind lieben kann. Aber als er aus Rußland nach Hause kam, war es nicht mehr am Leben. 30

[1] **Blitzableiter** lightning conductor
[2] **Diakonissenschwestern** sisters of charity (nurses)
[3] **Schwäbisch-Hall** town in Württemberg
[4] **verzagt** despondent
[5] **Lastwagen** trucks
[6] **vergast** gassed
[7] **Ratlosigkeit** perplexity

Ein glücklicher Zufall hatte Hans an der Front in die Nähe
des jüngsten Bruders geführt. Diese Freude und Überraschung, als da plötzlich mitten im weiten Rußland eine
wohlvertraute Stimme vor dem Bunker [1] nach Werner
5 fragte.

An einem goldenen, blauen Spätsommertag erhielt Hans
die Nachricht von Vaters Verurteilung. Er nahm ein Pferd
und machte sich gleich auf den Weg zu Werner. „Ich habe
einen Brief von zu Hause", sagte Hans und reichte ihn dem
10 kleinen Bruder hin. Der las und sagte kein Wort. Er sah
mit zusammengekniffenen [2] Augen in die Ferne und schwieg.
Da tat Hans etwas Ungewöhnliches. Er legte die Hand auf
die Schulter des Bruders und sagte: „Wir müssen das anders
tragen als andere. Das ist eine Auszeichnung."

15 Hans ritt langsam zu seiner Kompagnie zurück. Eine
grenzenlose Wehmut [3] und zugleich ein tiefer Friede erfüllten
ihn. Erinnerungen stiegen in ihm auf.

Sie hatten während des Transportes an einer polnischen
Station einige Minuten Aufenthalt [4] gehabt. Am Bahn-
20 damm [5] sah er Frauen und junge Mädchen gebückt, die mit
Eisenhacken [6] in den Händen schwere Männerarbeit taten.
Sie trugen den gelben Zionsstern [7] an der Brust. Hans
schwang sich aus dem Fenster seines Wagens und ging auf
die Frauen zu. Die erste in der Reihe war ein junges, ab-
25 gezehrtes [8] Mädchen, mit schmalen Händen und einem in-
telligenten, schönen Gesicht, in dem eine unsägliche Trauer

---

[1] **Bunker** dugout
[2] **zusammengekniffene Augen** blinking eyes
[3] **Wehmut** sadness, melancholy
[4] **einige Minuten Aufenthalt
gehabt** had a stop of a few
minutes
[5] **Bahndamm** railroad em-
bankment
[6] **Eisenhacken** pickaxes
[7] **Zionsstern** Star of David,
which the Nazis required all
Jews to wear
[8] **abgezehrt** emaciated

stand. Hatte er denn nichts bei sich, das er ihr schenken konnte? Da fiel ihm seine „Eiserne Ration" ein, ein Gemisch von Schokolade, Weinbeeren [1] und Nüssen, und er steckte es ihr zu. Das Mädchen warf es ihm mit einer gehetzten, aber unendlich stolzen Gebärde vor die Füße. [5] Er hob es auf, lächelte ihr ins Gesicht und sagte: „Ich hätte Ihnen so gerne eine kleine Freude gemacht." Dann bückte er sich, pflückte eine Margerite und legte sie mit dem Päckchen zu ihren Füßen nieder. Aber schon rollte der Zug an, und mit ein paar langen Sätzen [2] sprang Hans auf. [10] Vom Fenster aus sah er, daß das Mädchen dastand und dem Zug nachblickte, die weiße Margerite im Haar.

Dann sah er die Augen eines jüdischen Greises, der am Ende eines Menschenzuges zur Zwangsarbeit ging. Es war ein feines, ausgeprägtes [3] Gelehrtengesicht. Ein so ab- [15] grundtiefes Leid stand darin, wie Hans es noch nie gesehen hatte. Ratlos [4] griff er nach seinem Tabaksbeutel [5] und drückte ihn dem Alten heimlich in die Hand. Nie würde Hans den jähen [6] Anflug [7] von Glück vergessen, der in diesen Augen erglomm.[8] [20]

Und dann dachte er an jenen Frühlingstag in einem Heimatlazarett.[9] Einer der Verwundeten sollte entlassen werden, man hatte ihn großartig zusammengeflickt.[10] Aber kurz vor seiner Entlassung begann die Wunde plötzlich auf unerklärliche Weise wieder zu bluten und wollte nicht mehr [25] aufhören. Sie war nahe der Halsschlagader,[11] und es gab nur eins: die Schlagader zu suchen und abzudrücken.[12] Aber alle Bemühungen waren vergebens. Der Mann verblutete unter den Händen der Ärzte. Erschüttert ging Hans hinaus. Da begegnete er auf dem Gang der jungen Frau [30]

[1] **Weinbeeren** raisins
[2] **Sätze** leaps
[3] **ausgeprägtes** clearly delineated
[4] **ratlos** not knowing what else to do
[5] **Tabaksbeutel** tobacco pouch
[6] **jäh** sudden
[7] **Anflug** flash
[8] **erglomm** glowed up
[9] **Lazarett** military hospital
[10] **zusammengeflickt** patched up
[11] **Halsschlagader** jugular vein
[12] **abzudrücken** to press down press together

des Verbluteten, die ihren Mann abholen wollte, schön, blühend, selig vor Erwartung, mit einem großen, bunten Blumenstrauß in den Armen.

Wann endlich, wann erkannte der Staat, daß ihm nichts 5 höher sein sollte als das bißchen Glück der Millionen kleiner Menschen. Wann endlich ließ er ab von Idealen, die das Leben vergaßen, das kleine, alltägliche Leben? Und wann sah er ein, daß der unscheinbarste,[1] mühseligste [2] Schritt zum Frieden für den Einzelnen wie für die Völker größer war 10 als gewaltige Siege in Schlachten?

Hans' Gedanken wanderten zum Vater im Gefängnis. Als Hans im Spätherbst 1942 mit seinen Freunden aus Rußland heimkehrte, war auch der Vater wieder in Freiheit.

Die Erlebnisse an der Front und in den Lazaretten hatten 15 Hans und seine Freunde reifer und männlicher gemacht. Sie hatten ihnen noch eindringlicher [3] und klarer die Notwendigkeit gezeigt, diesem Staat mit seinem furchtbaren Vernichtungswahn [4] entgegenzutreten. Die Freunde hatten gesehen, wie dort draußen das Leben in unerhörtem Aus- 20 maß aufs Spiel gesetzt und verschwendet wurde. Wenn schon das Leben riskiert werden sollte, warum nicht gegen die Ungerechtigkeit, die zum Himmel schrie.

Nun waren sie wieder zurückgekehrt; nun sollte auch mit dem Entschluß, den sie bei jenem Abschiedsabend gefaßt 25 hatten, ernstgemacht werden. In der Nähe der Wohnung meiner Geschwister gab es ein kleines Hinterhaus mit einem großen Atelier.[5] Ein Künstler, der dem Freundeskreis sehr nahe stand, hatte es ihnen zur Verfügung gestellt, als er selbst an die Front mußte. Niemand sonst 30 wohnte in dem Häuschen. Hier trafen sie sich nun oft. Und manchmal kamen sie bei Nacht zusammen und arbeiteten Stunden um Stunden im Keller des Ateliers am Vervielfältigungsapparat. Das war eine große Geduldsprobe,

[1] **unscheinbarste** most insignificant
[2] **mühseligste** most laborious
[3] **eindringlicher** more forcibly
[4] **Vernichtungswahn** craze for destruction
[5] **Atelier** studio

Tausende und Tausende von Blättern abzuziehen.[1] Aber
auch eine große Befriedigung erfüllte sie dabei, endlich aus
der Untätigkeit und Passivität herauszutreten und zu
arbeiten. Manche fröhliche Nacht mögen sie so bei der
Arbeit verbracht haben. Aber diese Freude wurde von über- 5
menschlicher Sorge überschattet. Sie empfanden schmerzlich, wie grenzenlos einsam sie waren, und daß vielleicht
die besten Freunde sich entsetzt zurückziehen würden,
wüßten sie davon. Denn allein das Mitwissen war ja eine
ungeheure Gefährdung. Sie waren sich in solchen Stunden 10
voll bewußt, daß sie auf einem schmalen Grat[2] gingen.
Wer wußte denn, ob man ihnen nicht inzwischen schon
auf der Spur war, ob die Nachbarn, die sie arglos[3] grüßten
nicht schon ein Unternehmen[4] eingeleitet hatten, sie alle zu
fangen. Ob hinter ihnen irgendeiner auf der Straße ging, 15
der ihre Wege beobachtete? Ob nicht schon die Abdrücke[5]
ihrer Finger aufgenommen waren? Der feste Boden der
Stadt war zu einem brüchigen[6] Gewebe[7] geworden; würde
er sie morgen noch tragen? Jeder Tag, der zu Ende ging,
war ein Geschenk des Lebens, und jede Nacht, die herein- 20
brach, brachte die Sorge um das Morgen, und nur der
Schlaf war eine barmherzige Decke. Die Sehnsucht, nur
einmal das schwere, gefährliche Tun abzuschütteln und
frei und wieder unbeschwert[8] zu sein, ergriff sie zuweilen
mit großer Gewalt. Es gab Augenblicke und Stunden, da 25
es ihnen einfach zu schwer werden wollte, und in denen
die Unsicherheit und die Angst wie ein Meer über ihnen
zusammenschlug und ihren Mut begrub. Dann blieb
ihnen nichts mehr, als tief in ihr eigenes Herz hinabzu-
steigen, dorthin, wo ihnen eine Stimme sagte, daß sie recht 30
taten, und daß sie es tun müßten, auch wenn sie ganz allein

[1] **abzuziehen** to run off
[2] **Grat** ridge
[3] **arglos** innocently
[4] **ein Unternehmen eingeleitet hatten** had started pro-
ceedings
[5] **Abdrücke der Finger** finger-
prints
[6] **brüchig** fragile
[7] **Gewebe** fabric
[8] **unbeschwert** unburdened

in der Welt stünden. Ich glaube, in solchen Stunden haben sie frei mit Gott sprechen können, mit ihm, dem sie tastend [1] in ihrer Jugend nachgingen und den sie hinter all ihrem Forschen, Tun und Treiben suchten. In dieser Zeit wurde
5 ihnen Christus der seltsame, große Bruder, der immer da war, noch näher als der Tod. Der Weg, der kein Zurück duldete, die Wahrheit, die auf so viele Fragen Antwort gab, und das Leben, das ganze herrliche Leben.

Eine weitere wichtige Arbeit neben der Herstellung [2] der
10 Flugblätter war ihre Verbreitung. Sie sollten ja in möglichst viele Städte gelangen, sollten wirken, so weit es nur ging. Nie zuvor hatten sie etwas Ähnliches getan. Alles mußte ausgedacht und probiert werden. Welche Möglichkeiten gab es, die Flugblätter in die Hände der Leute zu
15 spielen? An welchen Plätzen und Orten mußte man sie niederlegen, damit möglichst viele Augen sie entdeckten, ohne jedoch die Spur zu den Urhebern [3] zu finden? Sie packten sie in Koffer und fuhren mit ihrer gefährlichen Ware selbst in die großen Städte Süddeutschlands, um sie dort zu
20 verbreiten, nach Frankfurt, Stuttgart, Wien, [4] Freiburg, Saarbrücken, Mannheim, Karlsruhe.

Sie mußten ihr Gepäck irgendwo an einem unauffälligen Ort im Zug abstellen, sie mußten es durchbringen durch die zahlreichen Streifen [5] von Wehrmacht, Kriminalpolizei
25 oder gar Gestapo, die die Züge und manchmal auch die Koffer kontrollierten. [6] Und in den Städten, in denen sie oft bei Nacht ankamen und in Fliegeralarme hineingerieten, mußten sie versuchen, ihren Auftrag geschickt [7] und lohnend zu erledigen. Welch ein Sieg, wenn man eine solche Reise
30 glücklich bestanden und im Zug erleichtert und befreit schlafen konnte, den leeren Koffer harmlos über sich im Gepäcknetz. [8] Und welche Sorge bei jedem Blick, der sich

---

[1] **tastend** gropingly
[2] **Herstellung** production
[3] **Urheber** originators
[4] **Wien** Vienna
[5] **Streifen** patrols

[6] **kontrollierten** inspected
[7] **geschickt** skillfully
[8] **Gepäcknetz** baggage shelf made of netting, usual in German trains

an einen heftete.[1] Welcher Schrecken, so oft ein Mensch
auf einen zukam, — und welche Erleichterung, wenn er
vorbeiging. Herz und Kopf, Sinn und Verstand arbeiteten
unablässig, ob jede Möglichkeit, die Spur zu verdecken,
beachtet war. Sieg und Freude, Kummer und Sorge, 5
Zweifel und Wagnis, — so gingen die Tage dahin.

Immer häufiger erschienen in den Zeitungen kurze Nachrichten über Todesurteile, die der Volksgerichtschof über
einzelne Menschen verhängt[2] hatte, weil sie sich gegen
den dämonischen Tyrannen ihres Volkes erhoben, und 10
sei es nur in Worten. Heute war es ein bekannter Pianist,
morgen ein Ingenieur, ein Arbeiter oder der Direktor eines
Werkes. Dazwischen Priester, ein Student oder ein hoher
Offizier, wie Udet,[3] der genau in dem Augenblick abstürzte,[4]
als er unbequem zu werden begann. Menschen ver- 15
schwanden lautlos von der Bildfläche,[5] erloschen[6] wie Kerzen
im Sturmwind. Und wer nicht lautlos verschwinden konnte,
bekam ein Staatsbegräbnis. Ich entsinne mich noch genau
an Rommels[7] Beerdigung. Obwohl es ein offenes Geheimnis war, daß ihn Hitlers Schergen[8] zum Selbstmord 20
gezwungen hatten, war in Ulm alles, was eine braune Uni-
form besaß, aufgeboten[9] worden, um der Feier beizuwohnen,
vom kleinsten Pimpf[10] bis zum ältesten SA-Mann. Und
ich entsinne mich noch, wie ich an den Fahnen vorbeischlich
um sie nicht grüßen zu müssen. 25

Die letzten Seiten der Zeitungen waren bedeckt mit den
Todesanzeigen[11] der Gefallenen,[12] mit den eigentümlichen
eisernen Kreuzen.[13] Die Zeitungen sahen aus wie Friedhöfe.

[1] **heftete** fastened
[2] **verhängt** decreed
[3] **Udet** famous air corps officer
[4] **abstürzte** crashed with his plane
[5] **Bildfläche** scene
[6] **erloschen** went out
[7] **Rommel** one of the most famous and popular Nazi generals, who, although he won great victories for the Nazis in Africa, later turned against the regime
[8] **Schergen** hangmen
[9] **aufgeboten** summoned
[10] **Pimpf** the youngest category in the Hitler Youth
[11] **Todesanzeigen** death notices
[12] **Gefallene** war dead
[13] **eiserne Kreuze** Iron Crosses, medals for bravery

Nur die Titelseite vorne hatte einen anderen Charakter. Sie war bestimmt durch große, fast unerträglich große Schlagzeilen [1] wie diese: „Haß ist unser Gebet — und der Sieg unser Lohn." Und dicke rote Balken [2] waren darunter-
5 gesetzt, die aussahen wie zorngeschwollene Adern.

Haß ist unser Gebet. . . .

Wir werden weitermarschieren, wenn alles in Scherben [3] fällt . . .

Die Zeitungen waren wie Minenfelder. Es bekam [4] einem
10 nicht gut, sie zu durchwandern. Wie ein Minenfeld war die ganze Zeit, war ganz Deutschland, — armes, liebes, verdunkeltes Vaterland.

Die Zeitungen waren sehr verschwiegen und wortkarg,[5] nicht nur wegen der Papierknappheit.[6] Sie hatten die
15 Aufgabe, die totale Verdunklung des deutschen Geistes mitzuvollziehen. Sie verrieten kein Wort von dem Dorf-geistlichen, der ins Gefängnis gebracht wurde, weil er einen erschlagenen Kriegsgefangenen, der in seinem Dorf Zwangs-arbeit hatte tun müssen, öffentlich in sein sonntägliches
20 Vaterunser eingeschlossen hatte.

Sie berichteten kein Wort davon, daß täglich nicht nur ein Todesurteil, sondern Dutzende gefällt wurden. Die Wochenschau [7] schaute weiß Gott nicht hinter die Gefäng-nismauern, die beinahe barsten vor Überfüllung, obwohl
25 ihre Insassen [8] mehr Schatten und Skeletten als mensch-lichen Körpern glichen. Sie sah nicht die blassen Gesichter dahinter, sie hörte nicht die klopfenden Herzen, nicht den stummen Schrei, der durch ganz Deutschland ging.

Sie erwähnten nicht die junge Frau, die nach dem Flieger-
30 angriff mit dem einzigen, was ihr geblieben war im kleinen Reisekoffer, ihrem toten Kind, durch Dresden irrte und einen Friedhof suchte, es zu begraben.

---

[1] **Schlagzeilen** headlines
[2] **Balken** bars
[3] **Scherben** shards, ruins
[4] **Es bekam einem nicht gut** It made one feel ill
[5] **wortkarg** taciturn
[6] **Papierknappheit** paper short-age
[7] **Wochenschau** newsreel
[8] **Insassen** inmates

Sie konnte auch nichts von dem einfachen deutschen Soldaten wissen, den plötzlich mitten in Rußland ein Grauen überfiel, als er eine Mutter furchtlos zwischen den Fronten einhergehen [1] sah, entschlossen ihr totes Kind an der Hand nachziehend, von dem sie sich auch bei gütlichstem [2] Zure- 5 den [3] nicht zu trennen gedachte.

Die Zeitung konnte auch dem Gespräch nicht zuhören, das zwischen dem Freund meines Vaters und einem Gefängnisgeistlichen in einem Kurort [4] stattfand, in dem sich der Geistliche von einem Nervenzusammenbruch erholte. 10 Er hatte täglich mindestens sieben Todeskandidaten zum Schafott [5] begleiten müssen.

Die Zeitung hatte auch nicht das fahle,[6] todtraurige Gesicht jenes Häftlings gesehen, der nach der Verbüßung [7] seiner Gefängnisstrafe zuerst strahlend an der Pforte 15 erschien, um seinen Entlassungsschein [8] und seine kleinen Habseligkeiten [9] in Empfang zu nehmen, statt dessen jedoch einen Einweisungsbefehl [10] in ein Konzentrationslager erhielt.

Es erschien uns manchmal wie ein Wunder, daß es doch noch Frühling wurde. Der Frühling kam und brachte 20 Blumen in die entleerte und rationierte Welt, er brachte Hoffnung, und die Kinder in den Straßen spielten ihre uralten merkwürdigen Spiele. Und in der Straßenbahn Münchens sangen ein paar Kinder unbekümmert: „Es geht alles vorüber, es geht alles vorbei — auch Adolf Hitler 25 und seine Partei." Sie waren auf ihre Art vogelfrei.[11]

Die Erwachsenen aber, sie wagten kaum zu lachen, obwohl man ihnen ansah,[12] welche Befreiung es für sie bedeutet hätte.

[1] **einhergehen** walking along
[2] **gütlichst** kindest
[3] **Zureden** persuasion
[4] **Kurort** health resort
[5] **Schafott** scaffold
[6] **fahl** pallid
[7] **Verbüßung** serving
[8] **Entlassungsschein** discharge papers
[9] **Habseligkeiten** possessions
[10] **Einweisungsbefehl** order for internment
[11] **vogelfrei** outlawed, i.e., outside the law
[12] **man ihnen ansah** one could tell by looking at them

An einem Abend wartete Sophie auf Hans. Sie wohnten
seit einiger Zeit zusammen in zwei großen Zimmern. Ihre
Vermieterin[1] war meist auf dem Land, weil sie sich vor
den Bombern fürchtete, die Nacht für Nacht über München
5 kreisten. Sophie hatte von daheim ein Paket erhalten mit
Äpfeln, Butter, einer großen Dose[2] Marmelade, einem
Riesenstück[3] Kranzbrot[4] und sogar Plätzchen.[5] Welcher
Reichtum in dieser ausgehungerten Zeit, — das gemeinsame Abendbrot sollte diesmal ein Fest werden. Sophie
10 wartete und wartete. Sie war fröhlich wie schon lange
nicht mehr. Den Tisch hatte sie gedeckt, und das Tee-
wasser fing an zu sprudeln[6] und zu dampfen.

Es war dunkel geworden. Und keine Spur von Hans.
Sophies freudige Erwartung wich einer steigenden Un-
15 geduld. Sie hätte so gerne bei allen Freunden herum-
telefoniert, um zu erfahren, wo er war. Aber das ging
nicht. Die Gestapo überwachte das Telefon. Sophie ging
an ihren Schreibtisch. Sie wollte wenigstens versuchen, ein
wenig zu zeichnen.[7] Lange schon war sie nicht mehr dazu
20 gekommen. Zum letztenmal mit Alex im vergangenen
Sommer. Aber diese entsetzliche Zeit erstickte ja alles,
was nicht purer Existenzkampf war. Ein Manuskript lag
auf ihrem Tisch, ein Märchen, das sie sich früher als Kinder
einmal ausgedacht hatten, und das nun ihre Schwester für
25 sie aufgeschrieben hatte, weil Sophie so gerne ein richtiges
Bilderbuch machen wollte. Ach nein, zeichnen[7] konnte
sie jetzt auch nicht, das Warten und die Sorge fraßen ihre
ganze Phantasie auf. Warum kam Hans nicht?

Woran sie dachte, alles war ausweglos. Die ganze Welt
30 lag unter einem Nebel von Traurigkeit. Konnte je wieder
die Sonne durchdringen? Das Gesicht der Mutter fiel ihr
ein. Zuweilen hatte es einen Zug von Schmerz um die
Augen und um den Mund, für den es keine Worte mehr gab.

[1] **Vermieterin** landlady
[2] **Dose** can
[3] **Riesenstück** huge piece
[4] **Kranzbrot** coffee ring
[5] **Plätzchen** cookies
[6] **sprudeln** bubble
[7] **zeichnen** sketch, draw

Mein Gott, — und so Tausende und aber Tausende [1] von Müttern mit demselben Zug um Augen und Mund, großen aufgerissenen Augen, die die Tränen nicht vordringen ließen ...

Damals schrieb Sophie in ihr kleines Tagebuch: „Viele 5 Menschen glauben von unserer Zeit, daß sie die letzte sei. Alle die schrecklichen Zeichen könnten es glauben machen. Aber ist dieser Glaube nicht von nebensächlicher Bedeutung? Denn muß nicht jeder Mensch, einerlei [2] in welcher Zeit er lebt, dauernd damit rechnen, im nächsten 10 Augenblick von Gott zur Rechenschaft [3] gezogen zu werden? Weiß ich denn, ob ich morgen früh noch lebe? Eine Bombe könnte uns heute nacht alle vernichten. Und dann wäre meine Schuld nicht kleiner, als wenn ich mit der Erde und den Sternen zusammen untergehen würde. — Ich kann es 15 nicht verstehen, wie heute ,fromme' Leute fürchten um die Existenz Gottes, weil die Menschen seine Spuren mit Schwert und schändlichen Taten verfolgen. Als habe Gott nicht die Macht (ich spüre, wie alles in seiner Hand liegt), die *Macht*. Fürchten bloß muß man um die Existenz der 20 Menschen, weil sie sich von ihm abwenden, der ihr Leben ist."

In diesen Wochen hatte die Schlacht in Stalingrad [4] ihren Höhepunkt erreicht. Tausende junger Menschen waren in einen erbarmungslosen Kessel [5] des Todes getrieben und mußten erfrieren, verhungern, verbluten. Sophie sah die 25 müden, gehetzten Gesichter der Menschen in den überfüllten Zügen vor sich, über schlafende blasse Kinder gebeugt, die aus dem Rheinland und den großen Städten des Nordens flohen ... Baden und schlafen hatte Thomas von Aquin [6] als Mittel gegen die Traurigkeit empfohlen. 30

---

[1] **Tausende und aber Tausende** thousands upon thousands

[2] **einerlei** no matter

[3] **zur Rechenschaft gezogen** called to an accounting

[4] **Stalingrad** a long and very bloody battle which ended in a decisive victory of the Russians over the Germans

[5] **Kessel** caldron

[6] **Thomas von Aquin** Saint Thomas Aquinas, famous Italian church figure of the 13th century

Schlafen, ja, das wollte sie jetzt. Ganz, ganz tief. Wann hatte sie das letztemal richtig ausgeschlafen?

Sie erwachte an einem vergnügten, unterdrückten Lachen und an Schritten im Flur. Endlich war Hans zurück. „Wir
5 haben eine großartige Überraschung für dich. Wenn du morgen durch die Ludwigstraße gehst, wirst du ungefähr siebzigmal die Worte ‚Nieder mit Hitler' passieren müssen."

„Und mit Friedensfarbe,[1] die kriegen[2] sie so schnell nicht wieder raus", sagte Alex, der schmunzelnd[3] hinter Hans ins
10 Zimmer trat. Hinter ihm erschien Willi. Er stellte schweigend eine Flasche Wein auf den Tisch. Nun konnte das Fest doch noch stattfinden. Und während die durchfrorenen Studenten sich wärmten, erzählten sie von dem kühnen Streich[4] der Nacht.

15 Am andern Morgen ging Sophie ein wenig früher zur Universität als sonst. Sie machte einen Umweg und ging durch die ganze Ludwigstraße. Da stand es endlich, groß und deutlich: „Nieder mit Hitler — Nieder mit Hitler..."
Als sie zur Universität kam, sah sie über dem Eingang
20 in derselben Farbe: „Freiheit". Zwei Frauen waren mit Bürste und Sand beschäftigt, das Wort wieder auszutilgen.[5]
„Lassen Sie es stehen", sagte Sophie, „das soll man doch lesen, dazu wurde es hingeschrieben." Die Frauen sahen sie kopfschüttelnd an. „Nix verstehen." Es waren zwei
25 Russinnen, die man zur Zwangsarbeit nach Deutschland geholt hatte.

Während man wütend und mühsam die Ludwigstraße wieder von dem verirrten Freiheitsruf reinigte, war der Funken nach Berlin übergesprungen. Ein Medizinstudent,
30 der mit Hans befreundet war, hatte es übernommen, dort ebenfalls eine Widerstandszentrale zu gründen und die

---

[1] **Friedensfarbe** paint manufactured in peace time
[2] **„die kriegen sie so schnell nicht wieder raus"** they won't be able to get that out so fast
[3] **schmunzelnd** smiling with satisfaction
[4] **Streich** adventure
[5] **auszutilgen** to obliterate

in München entworfenen Flugblätter zu vervielfältigen und weiterzuverbreiten.

Auch in Freiburg [1] hatten sich Studenten gefunden, die sich vom Mut der Münchener anspornen ließen und sich zum Handeln entschlossen. 5

Später hatte eine Studentin ein Flugblatt nach Hamburg gebracht, und auch dort fand sich ein kleiner Kreis von Studenten, die es aufgriffen und weiterverbreiteten.

So, dachten Hans und seine Freunde, sollte eine Zelle nach der andern in den großen Städten entstehen, von 10 denen aus der Geist des Widerstandes sich nach allen Seiten verbreiten sollte.

Noch immer versuchte man die Spuren der Straßenaufschriften auszumerzen; [2] schließlich mußte man sie überkleben. [3] Aber Professor Huber war schon dabei, ein 15 neues Flugblatt zu entwerfen, das diesmal vor allem an die Studenten gerichtet sein sollte.

Während er und Hans noch mit den Gedanken dieses Blattes rangen, denen sie alle Trauer und Empörung des unterdrückten Deutschlands einhauchen [4] wollten, 20 erhielt Hans auf seltsame Weise eine Warnung, daß die Gestapo ihm auf der Spur sei, und daß er in den nächsten Tagen mit seiner Verhaftung rechnen müsse. Hans war geneigt, diese unklare und undurchsichtige Warnung von sich zu schütteln. Vielleicht versuchten Menschen, die 25 es gut mit ihm meinten, ihn auf diese Weise von seinem Tun abzubringen. Aber gerade die Halbheit und Undurchsichtigkeit der Sache stürzte ihn in brennende Zweifel.

Sollte er nicht dies ganze schwere Leben in Deutschland mit der ständigen Bedrohung hinter sich werfen und in 30 ein freies Land, in die Schweiz, fliehen? Es sollte für ihn, den Bergkundigen [5] und zähen Sportsmann, kein Problem

---

[1] **Freiburg** university city in southwest Germany
[2] **auszumerzen** to efface
[3] **überkleben** paste over
[4] **einhauchen** infuse
[5] **bergkundig** familiar with mountains

sein, illegal über die Grenze zu entkommen. Hatte er nicht an der Front Situationen genug erlebt, in denen seine Kaltblütigkeit und seine Geistesgegenwart ihn gerettet hatten?

5 Was aber würde dann mit seinen Freunden, mit seinen Angehörigen geschehen? Seine Flucht würde sie sofort in Verdacht bringen, und dann könnte er von der freien Schweiz aus zusehen, wie sie vor den Volksgerichtshof und in die KZ's [1] geschleppt wurden. Niemals könnte er 10 das ertragen. Er war mit hundert Fäden hier verwoben,[2] und das teuflische System war so gut eingerichtet, daß er hundert Menschenleben aufs Spiel setzte, wenn er selbst sich entzog. Er allein mußte die Verantwortung übernehmen. Er mußte hier bleiben, um den Ring des Unheils, 15 wenn es sich entladen [3] sollte, möglichst eng zu halten und das Ganze auf sich selbst zu nehmen.

In den folgenden Tagen ging Hans mit doppeltem Eifer an die Arbeit. Nacht für Nacht verbrachte er mit seinen Freunden und Sophie im Keller des Ateliers [4] am Verviel-20 fältigungsapparat. Die Trauer und Erschütterung um Stalingrad durfte nicht im grauen, gleichgültigen Trott [5] des Alltags wieder untergehen, ehe nicht ein Zeichen dafür gegeben war, daß die Deutschen nicht alle gewillt waren, diesen mörderischen Krieg blindlings hinzunehmen. An 25 einem sonnigen Donnerstag, es war der 18. Februar 1943, war die Arbeit so weit gediehen, daß Hans und Sophie, ehe sie zur Universität gingen, noch einen Koffer mit Flugblättern füllen konnten. Sie waren beide vergnügt und guten Muts, als sie sich mit dem Koffer auf den Weg zur 30 Universität machten, obwohl Sophie in der Nacht einen Traum gehabt hatte, den sie nicht aus sich verjagen konnte: Die Gestapo war erschienen und hatte sie beide verhaftet.

[1] **KZ = Konzentrationslager**   [4] **Atelier** studio
[2] **verwoben** bound, closely knit   [5] **Trott** pace
[3] **sich entladen** burst, explode

Kaum hatten die Geschwister die Wohnung verlassen, klingelte ein Freund an ihrer Tür, der ihnen eine dringende Warnung überbringen sollte. Da er aber nirgends erfahren konnte, wohin die beiden gegangen waren, wartete er. Von dieser Botschaft hing alles ab. 5

Mittlerweile hatten die beiden die Universität erreicht. Und da in wenigen Minuten die Hörsäle [1] sich öffnen sollten, legten sie rasch entschlossen die Flugblätter in den Gängen aus und leerten den Rest ihres Koffers vom obersten Stock in die Eingangshalle der Universität hinab. Erleichtert 10 wollten sie die Universität verlassen. Aber zwei Augen hatten sie erspäht. Sie waren vom Herzen ihres Besitzers gelöst und zu automatischen Linsen [2] der Diktatur geworden. Es waren die Augen des Hausmeisters. Alle Türen der Universität wurden sofort geschlossen. Damit war das 15 Schicksal der beiden besiegelt.

Die rasch alarmierte Gestapo brachte meine Geschwister in ihr Gefängnis, das berüchtigte Wittelsbacher [3] Palais. Und nun begannen die Verhöre. Tage und Nächte, Stunden um Stunden. Abgeschnitten von der Welt, ohne Verbindung 20 mit den Freunden und im Ungewissen, ob einer von ihnen ebenfalls ihr Schicksal teilte. Durch eine Mitgefangene erfuhr Sophie, daß Christl Probst etliche Stunden nach ihnen ebenfalls „eingeliefert" worden war. Zum erstenmal verlor sie ihre Fassung, und eine wilde Ver- 25 zweiflung wollte sie übermannen.[4] Christl, gerade Christl, den sie so sorgsam geschont hatten, weil er Vater von drei kleinen Kindern war. Und Herta, seine Frau, lag in diesen Tagen mit dem Jüngsten im Wochenbett.[5] Sophie sah Christl vor sich, wie sie ihn mit Hans an einem sonnigen 30 Septembertag besucht hatte, in seinem kleinen Heim in den oberbayrischen [6] Bergen. Den zweijährigen Sohn hatte

[1] **Hörsäle** lecture rooms
[2] **Linsen** lenses
[3] **Wittelsbach** name of a former reigning family of Bavaria
[4] **wollte sie übermannen** very nearly overpowered her
[5] **Wochenbett** childbed
[6] **oberbayrisch** upper Bavarian

er im Arm gehabt und wie verzaubert[1] in das friedliche Kindergesicht geblickt. Seine zarte, tapfere Frau konnte kaum mehr an eine Geborgenheit[2] in den eigenen vier Wänden glauben. Denn vor Jahren hatten ihre bei-
5 den Brüder bei Nacht und Nebel vor der Gestapo fliehen müssen, und niemand wußte genau, ob sie noch lebten. Aber wenn es noch einen Funken Rechtlichkeit in diesem Staate gab, dachte Sophie verzweifelt, konnte Christl nichts geschehen.

10 Zwischen Sophie und Hans herrschte, obwohl sie keine Verbindung miteinander hatten, ein starkes, strahlendes Einvernehmen:[3] alle „Schuld", alles, alles auf sich zu nehmen, um die andern zu entlasten. Bei der Gestapo rieb man sich die Hände über die reichhaltigen Geständnisse.
15 Angestrengt tasteten[4] die Geschwister ihre Erinnerung nach den „Verbrechen" ab, die sie sich zur Last legen könnten. Es war wie ein großer Wettkampf[5] um das Leben der Freunde. Und nach jeder guten Partie[6] kehrten sie in ihre Zellen zurück, das Herz voller Genugtuung.

20 Manche, die ihnen im Gefängnis begegneten, haben uns über die letzten Tage und Stunden vor ihrem Tod berichtet.

Else Gebel, die mit Sophie eine Zelle teilte, berichtete uns 1945:

„Februar 1943. Als politische Gefangene werde ich in
25 der Gefängnisverwaltung der Gestapo-Leitstelle[7] München

---

[1] **wie verzaubert** as if under a spell
[2] **Geborgenheit** safety
[3] **Einvernehmen** agreement, understanding
[4] **tasteten ab** groped through
[5] **Wettkampf** contest
[6] **Partie** match
[7] **Leitstelle** headquarters

in der Aufnahmestelle beschäftigt, und meine Tätigkeit besteht darin, andere Unglückliche, die in die Hände der Gestapo gefallen sind, zu registrieren und sie in die immer größer werdende Kartei [1] einzureihen.

Tagelang herrscht schon fiebernde Aufregung unter den 5 Gestapobeamten. Immer mehr häufen sich die nächtlichen Beschriftungen der Straßen und Häuser mit ‚Nieder mit Hitler‘, ‚Es lebe die Freiheit‘ oder auch nur ‚Freiheit‘.

In der Universität werden in kurzen Abständen [2] Flugblätter gefunden, die verstreut in den Gängen und auf den 10 Treppen liegen. In der Gefängnisverwaltung fühlt man sehr deutlich die Spannung, die in der Luft liegt. Kein Sachbearbeiter kommt vom Hauptgebäude, die meisten sind zur ‚Sonder-Such-Aktion‘ eingesetzt. Was für mutige Kämpfer für die Freiheit werden sie zu Fall bringen? Wir, 15 die wir die Methoden dieser brutalen, gnadenlosen Menschen kennen, bangen voller Sorge für die, welche es wiederum ereilt.

Am Donnerstag, dem 18. Februar, wird früh vom Hauptgebäude telefonisch durchgegeben: [3] ‚Einige Zellen für heute freihalten‘. Ich frage den Beamten, dem ich unter- 20 stellt bin, wer wohl kommen wird, und erhalte zur Antwort: ‚Die Maler‘.

Ein paar Stunden später stehst du, Sophie, von einem Beamten begleitet, im Aufnahmeraum. Ruhig, gelassen, fast heiter über all die Aufregung rings um dich. Dein 25 Bruder Hans war kurz zuvor aufgenommen und bereits in einer Zelle verwahrt [4] worden.

Jeder Neueingelieferte muß sich seiner Papiere und Habseligkeiten [5] entledigen [6] und wird dann einer Leibesvisitation [7] unterzogen. [8] In der Gestapo sind keine weiblichen 30 Gefängnisbeamten, und so soll ich dieses Amt übernehmen.

---

[1] **Kartei** card catalogue
[2] **in kurzen Abständen** at short intervals
[3] **wird … telefonisch durchgegeben** telephone message comes through
[4] **verwahrt** locked up
[5] **Habseligkeiten** possessions
[6] **sich entledigen** surrender
[7] **Leibesvisitation** body search
[8] **wird unterzogen** is subjected

Wir stehen uns das erstemal allein gegenüber, und ich
kann dir zuflüstern: ‚Wenn Sie irgendein Flugblatt bei sich
haben, vernichten Sie es jetzt, ich bin selbst Häftling.‘
Glaubst du mir, oder meinst du, die Gestapo stellt dir eine
5 Falle? Deinem ruhigen, freundlichen Wesen kann man
nichts anmerken. Du bist nicht im geringsten aufgeregt.
Ich fühle den Druck von mir weichen; hier haben sie sich
gründlich getäuscht. Niemals hat sich dieses liebe Mädel
mit dem offenen Kindergesicht bei solch waghalsigen [1]
10 Unternehmungen beteiligt.

Ich muß unterdessen meine riesige Habe [2] aus meiner
bisherigen Zelle unter Aufsicht holen und werde zu dir
hineinverlegt. Wieder sind wir kurze Zeit allein. Du hast
dich auf das Bett gelegt und fragst, wie lange ich schon
15 in Haft sei und wie ich es hier hätte. — Gleich erzählst du
mir, daß du wohl ein schwerer Fall seiest und mit nichts
Gutem zu rechnen hättest. Ich rate dir noch, ja nichts
einzugestehen, wovon sie keine Beweise hätten. — ‚Ja,
so habe ich es bis jetzt auf der Uni [3] und bei der kurzen
20 Vernehmung in der Gestapo gehalten‘, gibst du mir zurück,
‚aber es ist da noch so manches, was sie finden können.‘
Schritte nähern sich der Zellentür, du wirst zur Vernehmung
geholt, ich zur Arbeit. — Indessen ist es wohl 3 Uhr geworden. Es werden noch verschiedene Studenten und
25 Studentinnen eingeliefert, manche nach kurzem Verhör
wieder entlassen. — Dein Bruder Hans ist schon beim Verhör. — Was werden die ‚oben‘ wohl indessen an Belastendem
entdeckt haben? — Es wird 6 Uhr, das Abendessen wird
verteilt, da werdet ihr, getrennt voneinander, ins Gefängnis
30 runtergebracht.[4] Ein Hausbursche, auch Häftling, bringt
dir die heiße Suppe und Brot, da kommt ein Telefonruf:
‚Die beiden Scholls dürfen nichts zu essen bekommen, sie
werden in einer halben Stunde weiterverhört.‘ Hier unten

---

[1] **waghalsig** reckless
[2] **Habe** belongings
[3] **Uni** = Universität

[4] **runtergebracht = herunter-
gebracht**

denkt aber niemand daran, euch das Essen zu entziehen, und so seid ihr beide doch etwas gestärkt für das kommende Verhör. Es ist 8 Uhr, und ich bin mit meiner letzten Arbeit, der ‚Gefängnis-Belegs-Liste‘,[1] fertig. Wieder ein paar Unglückliche mehr in diesem Leidenshaus. Um 10 Uhr lege 5 ich mich zu Bett und warte auf dein Kommen. Schlaflos liege ich da und starre mit Angst in die sternklare Nacht hinaus. Ich versuche zu beten für dich, um ruhiger zu werden. Die Beamten flüsterten am Abend so geheimnisvoll miteinander. Selten bedeutet das etwas Gutes, und nun 10 verrinnt eine Stunde nach der anderen und du kommst nicht zurück. Übermüdet schlafe ich gegen Morgen ein. — Um 6 Uhr 30 wird der Kaffee von einem Hausburschen hereingereicht. Dabei erfahre ich, ob sich etwas Neues ereignet hat. Meine kleine Hoffnung, du wärst in der Nacht vielleicht 15 doch entlassen worden, wird schnell zunichte. Ihr wäret beide die ganze Nacht verhört worden, gegen Morgen hättet ihr unter dem Druck des Belastungsmaterials, nach vorher stundenlangem Leugnen, gestanden.[2] — Vollkommen niedergeschlagen nehme ich meine trostlose Tätigkeit wieder 20 auf. Mir ist bange, in welcher Verfassung du herunterkommen wirst, und ich traue meinen Augen nicht, als du gegen 8 Uhr, wohl etwas angegriffen,[3] aber so vollkommen ruhig dastehst. Du bekommst, noch bei mir im Aufnahmeraum stehend, dein Frühstück und erzählst dabei, 25 daß du heute nacht sogar Bohnenkaffee[4] beim Verhör bekommen hättest.

Für ein paar Stunden läßt man dich in Ruhe, und du schläfst fest und tief. Ich fange an, dich zu bewundern. All diese stundenlangen Verhöre ändern nichts an deiner 30 ruhigen, gelassenen Art. Dein unerschütterlicher Glaube gibt dir die Kraft, dich für andere zu opfern.

Heute, Freitagabend. Du mußtest den ganzen Nachmit-

---

[1] **Gefängnis-Belegs-Liste** prison records
[2] **gestanden** confessed
[3] **angegriffen** fatigued
[4] **Bohnenkaffee** genuine coffee

tag so viele Fragen und Antworten über dich ergehen lassen, bist aber keineswegs abgespannt.[1] Du erzählst mir von
der baldigen Invasion, die ja unbedingt in spätestens acht
Wochen eintreten wird. Dann wird es Schlag auf Schlag
5 gehen, und wir werden endlich von dieser Tyrannei befreit
sein. Wie gerne will ich es glauben, nur, daß du nicht mehr
dabei sein sollst? Du bezweifelst es. Als ich dir aber sage,
wie lange schon mein Bruder ohne Verhandlung in Haft ist,
über ein Jahr, hoffst auch du. Und bei euch dauert es
10 bestimmt auch lang. Zeit gewonnen, alles gewonnen.

Heute erzählst du mir, wie oft du schon die Flugblätter
in der Uni verstreut habest, und trotz dem Ernst der Lage
müssen wir beide lachen, als du erzählst, du seiest kürzlich
auf dem Rückweg deiner ‚Streutour' auf eine Putzfrau[2]
15 zugegangen, welche die Flugblätter von der Treppe ein-
sammeln wollte, und sagtest zu ihr: ‚Wozu heben Sie die
Blätter auf? Lassen Sie die ruhig liegen, die sollen doch
die Studenten lesen.' Dann wieder, wie sehr ihr euch stets
bewußt wart: Wenn je uns die Häscher[3] der Gestapo er-
20 wischen, müssen wir mit dem Leben bezahlen. Wie gut
kann ich verstehen, daß euch oft geradezu eine übermütige
Stimmung erfaßte, wenn wieder eine Nachtarbeit, ob es
Straßen-Transparente[4] oder ein Schub[5] Briefe der ‚Weißen
Rose' waren, die wieder in den verschiedenen Briefkästen
25 des Versandes[6] harrten, getan war.

Der Samstagvormittag bringt dir wiederum stundenlang
Verhöre, und als ich mittags komme, um dir froh zu verkünden, daß du jetzt bestimmt bis Montag früh in Ruhe
gelassen wirst, bist du darüber gar nicht erfreut. Du
30 findest die Vernehmungen anregend, interessant. Wenigstens hast du das Glück, einen der wenigen sympathischen[7]
Sachbearbeiter zu haben. Er hat dir an diesem Vormittag
einen längeren Vortrag gehalten über den Sinn des National-

---

[1] **abgespannt** exhausted
[2] **Putzfrau** cleaning woman
[3] **Häscher** spies
[4] **Transparente** streamers
[5] **Schub** batch
[6] **des Versandes harrten** lay waiting to be delivered
[7] **sympathisch** agreeable

sozialismus, Führerprinzip, deutsche Ehre, und wie sehr
ihr doch mit eurem Tun die deutsche Wehrkraft zersetzt
hättet. Er will dir vielleicht noch eine Chance bieten, als
er dich fragt: ‚Fräulein Scholl, wenn Sie dies alles, was ich
Ihnen jetzt erläutert[1] habe, vorher gewußt und bedacht 5
hätten, so hätten Sie sich doch nie zu derartigen Handlungen
hinreißen lassen.' Und was ist deine Antwort? ‚Sie
täuschen sich, ich würde alles genau noch einmal so machen,
denn nicht ich, sondern Sie haben die falsche Anschauung.'
Betreut werden wir an diesem Samstag und Sonntag von 10
zur Arbeit eingesetzten Haft-Kameraden. Ich habe die
Möglichkeit, Tee und Kaffee zu brauen, und jeder gibt sein
Scherflein[2] dazu. Wir haben in unserer kleinen Zelle auf
einmal die seltensten Reichtümer: Zigaretten, Keks,[3]
Wurst und Butter. Wir können auch deinem Bruder, um 15
den du dich sehr bangst, davon raufschicken. Auch Willi
Graf wird eine Zigarette mit der Aufschrift ‚Freiheit'
geschickt. Der Sonntagmorgen bringt dir noch einen
großen Schrecken. Beim Morgenkaffee wird mir zuge-
flüstert: ‚Heute nacht ist noch ein Hauptbeteiligter ge- 20
kommen.' Ich erzähle es dir, und du denkst an keinen
anderen als Alexander Schmorell. — Als ich um 10 Uhr zu
Eintragungen geholt werde, ist der nächtliche Neuzugang[4]
schon registriert, die Karteikarte[5] schon eingereiht. Ich
suche sie mir raus und lese: Christoph Probst, Hochverrat. 25
Zwei Stunden bin ich glücklich, dir sagen zu können, daß
es nicht Alex ist, den die Häscher[6] gefangen haben, aber
dein Gesicht zeigt Entsetzen, als ich dir Christls Namen
nenne. Zum erstenmal sehe ich dich fassungslos. Aber du
beruhigst dich wieder; man kann Christl höchstens eine 30
Freiheitsstrafe zudiktieren, und die ist ja bald überstanden.
Mittags kommt dein Sachbearbeiter, bringt auch Obst,
Keks und ein paar Zigaretten mit und erkundigt sich bei

---

[1] **erläutert** elucidated
[2] **Scherflein** mite
[3] **Keks** hard cookies

[4] **Neuzugang** new arrival
[5] **Kartei** card catalogue
[6] **Häscher** spies

mir, wie es dir gehe. Es ist wohl Mitleid, denn er weiß ja
mit am besten, was für schwarze Wolken über euch sich
zusammengezogen haben. Wir sitzen am Nachmittag
zusammen in unserer Zelle, da wirst du (es ist wohl 3 Uhr)
5 geholt, um deine Anklageschrift [1] in Empfang zu nehmen.
Mir erzählt man schnell, daß ihr drei morgen schon Verhandlung habt. Der gefürchtete Volksgerichtshof tagt hier,
und Freisler [2] und seine brutalen Helfershelfer werden den
Stab [3] über euch brechen. Liebe, liebe Sophie, dein Schicksal
10 ist bereits entschieden. Du kommst nach wenigen Minuten
zurück, blaß, sehr erregt. Deine Hand zittert, wie Du die
umfangreiche [4] Anklageschrift [1] zu lesen beginnst. Aber je
weiter du liest, um so ruhiger werden deine Züge, und bis
du zu Ende bist, hat sich deine Erregung gänzlich gelegt.
15 ‚Gott sei Dank‘ ist alles, was du sagst. Dann fragst du
mich, ob ich den Schriftsatz [5] lesen darf, ohne Unannehm-
lichkeiten zu bekommen. Selbst in dieser Stunde möchtest
du nicht, daß deinetwegen jemand in Gefahr kommt.

Draußen ist ein sonniger Februartag. Menschen gehen
20 froh und heiter an diesen Mauern vorüber, nicht ahnend,
daß hier wieder drei mutige, wahrhafte Menschen dem
Tod überantwortet [6] werden sollen. Wir haben uns auf
unsere Betten gelegt, und du stellst mit leiser, ruhiger
Stimme Betrachtungen [7] an. ‚So ein herrlicher sonniger
25 Tag, und ich muß gehen. — Aber wie viele müssen heutzutage auf den Schlachtfeldern sterben, wie viele junge,
hoffnungsvolle Männer . . . Was liegt an meinem Tod,
wenn durch unser Handeln Tausende von Menschen aufgerüttelt [8] und geweckt werden. Unter der Studentenschaft
30 gibt es bestimmt eine Revolte.‘ — O Sophie, du weißt noch

---

[1] **Anklageschrift** indictment
[2] **Freisler** Chief Justice of the
People's Court
[3] **den Stab über euch brechen**
pronounce the death sen-
tence
[4] **umfangreich** voluminous
[5] **Schriftsatz** document
[6] **überantwortet** delivered up
[7] **stellst Betrachtungen an**
begin reflecting
[8] **aufgerüttelt** stirred up

nicht, wie feig die Herde Mensch ist. — ‚Ich könnte doch
auch an einer Krankheit sterben, aber hätte das den gleichen
Sinn?‘ — Ich versuche dir wieder einzureden, daß es doch
leicht möglich sein könnte, daß du mit einer längeren Freiheitsstrafe davon kommst. Aber davon willst du nichts 5
wissen. ‚Wenn mein Bruder zum Tode verurteilt wird,
so will und darf ich keine mildere Strafe bekommen. Ich
bin genau so schuldig wie er.‘ Das gleiche erklärst du dem
Pflichtverteidiger,[1] den man pro forma [2] herzitiert [3] hat.
Ob du irgendeinen Wunsch hast. Als ob man von einer 10
solchen Marionettenfigur einen Wunsch erfüllt bekäme.
Nein, du willst nur von ihm bestätigt haben, daß dein
Bruder das Recht auf den Tod durch Erschießen hat.
Schließlich ist er doch Frontkämpfer gewesen. Er kann dir
darauf schon keine präzise Antwort geben. Über deine 15
weiteren Fragen, ob du selbst wohl öffentlich aufgehängt
oder durch das Fallbeil [4] sterben sollst, ist er geradezu
entsetzt. Derartiges in so ruhiger Art gefragt, noch dazu
von einem jungen Mädchen, hat er wohl nicht erwartet.
Wo sonst starke, kriegsgewohnte Männer zittern, bleibst 20
du ruhig und gefaßt. Aber er gibt dir natürlich eine aus-
weichende [5] Antwort.

Dein Sachbearbeiter kommt noch einmal vorbei, dir zu
raten, möglichst heute noch Briefe an deine Lieben zu
schreiben, da du in Stadelheim [6] sicher nur kurze Briefe 25
schreiben dürftest. Meint er es gut mit dir, oder hofft
man, durch den Inhalt der Briefe neues Material zu finden?
Die Deinen haben jedenfalls nie eine Zeile dieser Briefe
zu lesen bekommen. Nach 10 Uhr legen wir uns nieder.
Du erzählst noch von Eltern und Geschwistern. Der 30
Gedanke an deine Mutter bedrückt dich sehr. Gleich
zwei Kinder auf einmal zu verlieren, und der andere Bruder

---

[1] **Pflichtverteidiger** official
counsel for the defence
[2] **pro forma** as a matter of form
[3] **herzitiert** summoned
[4] **Fallbeil** guillotine

[5] **ausweichend** evasive
[6] **Stadelheim** suburb of Munich where the execution
prison was located

irgendwo in Rußland! ‚Der Vater versteht unser Tun da besser.'

Heute bleibt die ganze Nacht das Licht brennen, und alle halbe Stunde muß ein Beamter nachsehen, ob noch alles
5 in Ordnung ist. — Was haben diese Menschen für eine Ahnung von deiner tiefen Frömmigkeit, deinem Gottvertrauen. — Endlos dehnt sich für mich die Nacht, während du wie immer fest und tief schläfst. — Kurz vor 7 Uhr muß ich dich für diesen schweren Tag wecken. Du bist
10 sofort munter und erzählst mir, noch im Bett sitzend, deinen Traum: ‚Ich trug an einem sonnigen Tag ein Kind in langem weißen Kleid zur Taufe.[1] Der Weg zur Kirche führte einen steilen Berg hinauf. Aber fest und sicher trug ich das Kind in meinem Arme. Da plötzlich war vor mir eine Gletscher-
15 spalte.[2] Ich hatte gerade noch soviel Zeit, das Kind sicher auf die andere Seite niederzulegen, — dann stürzte ich in die Tiefe.'

Du legtest[3] dir den Traum so aus: Das Kind im weißen Kleid ist unsere Idee, sie wird sich trotz allen Hindernissen
20 durchsetzen. Wir durften Wegbereiter sein, müssen aber vorher sterben, für sie.

Ich werde bald zur Arbeit geholt werden. Wie sehr ich für dich hoffe, wie meine Gedanken dauernd bei dir sein werden, fühlst du wohl.
25 Ich verspreche dir, in ruhigeren Zeiten deinen Eltern von unserem Zusammensein zu erzählen. Dann ein letzter Händedruck, ‚Gott sei mit Ihnen, Sophie', und ich werde geholt.

Kurz nach 9 Uhr wirst du, von zwei Beamten begleitet,
30 von einem Privatwagen zum Justizpalast gebracht. Im Vorbeigehen trifft mich ein letzter Blick. Gesondert[4] von dir werden dein Bruder Hans und Christoph Probst, jeder gefesselt, fortgebracht.

---

[1] **Taufe** baptism
[2] **Gletscherspalte** crevasse in a glacier
[3] **legtest aus** interpreted
[4] **gesondert** separated

Wie ausgestorben ist heute hier unten das Gefängnis. Das
Kommen und Gehen der letzten Tage ist einer drückenden
Stille gewichen. Nach 2 Uhr kommt vom Hauptgebäude
die entsetzliche Nachricht. Alle drei sind zum Tode verurteilt. — Gelähmt [1] höre ich die Botschaft. — Arme, liebe 5
Sophie, in was für einer Verfassung wirst du sein. Gott
gebe dir Kraft, auch jetzt durchzuhalten. Vielleicht hat
ein Gnadengesuch [2] doch noch Erfolg! Eure Lieben werden
doch sofort alle nur möglichen Wege unternehmen. Ich
beginne wieder ein wenig zu hoffen. Aber ein Volks- 10
gerichtshof wirft jedes althergebrachte [3] Gesetz um.

Um 4 Uhr 30 kommt M. zur Türe herein. Noch in Hut
und Mantel, kreidebleich. Ich frage als erste sofort: ‚Ist
es denn wirklich wahr, alle drei müssen sterben?' Er nickt
nur, selbst noch erschüttert von dem Erlebten. — ‚Wie 15
nahm sie das Urteil auf, haben Sie Sophie noch gesprochen?'
Mit müder Stimme spricht er: ‚Sie war sehr tapfer, ich
habe sie in Stadelheim [4] noch gesprochen. Sie durfte auch
ihre Eltern noch sprechen.' Ängstlich frage ich: ‚Besteht
denn gar keine Aussicht auf ein Gnadengesuch?' [2] — Da 20
blickt er zur Wanduhr hinauf und sagt leise, tonlos: ‚Denken
Sie in einer halben Stunde an sie, da hat sie es überstanden.'
Wie ein Keulenschlag [5] fallen die Worte auf uns alle.

Die Minuten dehnen sich zur Ewigkeit. Ich möchte die
Uhr weiterdrehen, schneller, schneller, damit das schwerste 25
hinter euch liegen möge. Aber gleichmäßig verrinnt eine
Minute nach der anderen.

Endlich: 5 Uhr . . . 5,04 . . . 5,08 . . .‟

Helmut F., ein argloser,[6] einfacher Mensch, war wegen
eines unvorsichtigen Wortes gegen Hitler ins KZ [7] ge- 30

---

[1] **gelähmt** paralyzed
[2] **Gnadengesuch** petition for
  pardon
[3] **althergebracht** traditional
[4] **Stadelheim** name of the execution prison
[5] **Keulenschlag** blow with a
  club
[6] **arglos** innocent
[7] **KZ = Konzentrationslager**

kommen und hernach zu irgendeinem Dienst im Wittelsbacher Palais, dem Münchner Gestapogefängnis, abkommandiert. Während der viertägigen Haft meines
Bruders teilte er mit ihm die Gefängniszelle. Er berichtete
5 uns folgendes:

„Wahrscheinlich wollten sie Hans nicht alleine lassen,
wegen Flucht- oder Selbstmordverdacht. Selbstmord
wäre ihnen unangenehm gewesen, denn sie wollten aus Hans
noch viel herauspressen und das ganze ‚Nest ausheben'.[1]
10 Da haben sie sich gründlich getäuscht. Hans und fliehen!
Das hätte bedeutet, seine Freunde im Stich lassen und sie
einem dunklen Schicksal preisgeben.

Gerade das war ja seine schwerste Sorge in den letzten
vier Tagen während der langen Vernehmungen gewesen,
15 wie er diese Freunde entlasten konnte.

Einmal kam er nach einem stundenlangen Verhör furchtbar niedergeschlagen und traurig in die Zelle zurück. Er
sagte: ‚Jetzt muß ich vielleicht einen Namen verraten.
Ich weiß nicht mehr, wie ich es umgehen kann.' Schweren
20 Herzens sah er der nächsten Vernehmung entgegen. Aber
fröhlich und in fast übermütiger Freude kehrte er nach
wenigen Stunden wieder zurück. ‚Es ging wunderbar, sie
haben keinen Namen herausgekriegt', sagte er glücklich.
Er konnte in diesen Tagen oft so fröhlich sein. Und manch-
25 mal sprach er lustige Verse oder sagte Dinge, die ich nicht
recht verstehen konnte. Zum Beispiel: ‚Die Sonne prallt.'[2]
Als ich ihm darauf widersprach: ‚Die Sonne prallt doch
nicht, sie scheint' (sie schien in diesen Vorfrühlingstagen
ja mit einer ungewöhnlichen Wärme und Ausdauer), sagte
30 er übermütig und triumphierend: ‚Wenn ich dir sage, sie
prallt, dann prallt sie.' Und dann zog er sich zu dem hoch-
liegenden kleinen Gitterfenster[3] empor und verrenkte[4]

---

[1] **‚das ganze Nest ausheben'**
 unearth the whole gang
[2] **prallt** rebounds (said of the sun
 when it shines with brilliant
 reflection)
[3] **Gitterfenster** barred window
[4] **verrenkte** twisted

sich den Hals, um einen Strahl Sonne oder ein Stückchen blauen Himmel zu erhaschen.[1] Aber solche Stimmungen wichen oft sehr ernsten Stunden, und ich spürte wohl immer, gerade auch durch die Heiterkeit hindurch, wie schwer Hans an seiner Verantwortung trug. 5

Hans war immer gut zu mir. Nur manchmal bat er mich, nicht zu reden und ihn ganz für sich zu lassen.

Die ganzen Nächte hindurch brannte helles Licht in der Zelle. Man wußte im Gefängnis, daß in diesen hell erleuchteten Zellen die Todeskandidaten wohnten. Hans 10 jedoch beunruhigte dies Wissen nicht, denn er rechnete vom zweiten Tag an fest mit dem Todesurteil.

Schließlich kam der letzte Morgen. Hans trug mir noch manches auf,[2] was ich Eltern und Freunden sagen sollte. Dann gab er mir die Hand, gütig und feierlich, und sagte: 15 ‚Nun, wir wollen uns jetzt verabschieden, solange wir noch alleine sind.‘ Darauf drehte er sich still der Wand zu und schrieb mit einem eingeschmuggelten Bleistift etwas an die weiße Gefängnismauer. Es war eine unbeschreibliche Stille in der Zelle. Kaum hatte er den Bleistift aus der 20 Hand gelegt, da rasselten die Schlüssel und die Tür ging auf. Die Kommissare legten ihm Fesseln an und führten ihn zur Verhandlung.

Die Worte, die er noch an die Wand geschrieben hatte, hießen: ‚Allen Gewalten zum Trotz sich erhalten‘.“ 25

Meine Eltern hatten am Freitag, einen Tag nach der Verhaftung meiner Geschwister, Nachricht davon erhalten, zuerst durch eine Studentin, mit der wir befreundet waren, später dann noch durch den Telefonanruf eines unbekannten Studenten, der schon sehr traurig und dunkel 30 klang. Sie beschlossen sofort, die Verhafteten zu besuchen und alles zu unternehmen, was in ihren Kräften stand, um ihr Los zu erleichtern.

Aber was konnten sie schon tun in ihrer Ohnmacht? In

---

[1] **erhaschen** snatch   [2] **trug mir auf** charged me with

einer solchen Stunde der Not und Entscheidung glaubt
man, Mauern zerbrechen zu müssen. Da das Wochenende
dazwischen lag, an dem im Gefängnis keine Besuche erlaubt
waren, fuhren sie mit meinem jüngsten Bruder Werner,
5 der unverhofft zwei Tage zuvor aus Rußland auf Urlaub
gekommen war, am Montag nach München. Dort wartete
am Bahnsteig schon in höchster Erregung der Student, der
sie von der Verhaftung telefonisch unterrichtet hatte, und
sagte: „Es ist höchste Zeit. Der Volksgerichtshof tagt, und
10 die Verhandlung ist bereits in vollem Gang. Wir müssen
uns auf das Schlimmste gefaßt[1] machen." Dieses Tempo
hatte niemand erwartet, und erst später erfuhren wir, daß
es sich um ein „Schnellverfahren"[2] gehandelt hatte, weil
die Richter mit einem raschen und schreckensvollen Ende
15 dieser Menschen ein Exempel statuieren wollten. Meine
Mutter fragte den Studenten tapfer: „Werden sie sterben
müssen?" Der nickte verzweifelt und konnte seine Erregung kaum mehr beherrschen. „Hätte ich einen einzigen
Panzer",[3] rief er in ohnmächtigem Schmerz, „und eine
20 Handvoll Leute, — ich könnte sie noch befreien, ich würde
die Verhandlung sprengen[4] und sie an die Grenze bringen."
Sie eilten zum Justizpalast und drangen in den Verhand-
lungssaal ein, in dem geladene[5] Nazigäste saßen. In
roter Robe saßen da die Richter, in ihrer Mitte Freisler,
25 schäumend[6] und tobend[7] vor Wut.

Still und aufrecht und sehr einsam saßen ihnen die drei
jungen Angeklagten gegenüber. Frei und überlegen gaben
sie ihre Antworten. Sophie sagte einmal (sie sagte sehr,
sehr wenig sonst): „Was wir sagten und schrieben, denken
30 ja so viele. Nur wagen sie nicht, es auszusprechen." Die
Haltung und das Benehmen der drei Angeklagten war von

---

[1] **auf das Schlimmste gefaßt
machen** prepare for the
worst
[2] **„Schnellverfahren"** speeded
up procedure

[3] **Panzer** tank
[4] **sprengen** burst open
[5] **geladene** officially invited
[6] **schäumend** frothing
[7] **tobend** raging

solchem Adel, daß sie selbst die feindselige [1] Zuschauer-
menge in ihren Bann [2] schlugen.

Als meine Eltern eindrangen, war der Prozeß schon nahe
dem Ende. Sie konnten gerade noch die Todesurteile an-
hören. Meine Mutter verlor einen Augenblick die Kräfte, 5
sie mußte hinausgeführt werden, und eine Unruhe entstand im Saal, weil mein Vater rief: „Es gibt noch eine
andere Gerechtigkeit". Aber dann hatte sich meine Mutter
rasch wieder in der Gewalt, denn nachher war ihr ganzes
Sinnen und Denken nur noch darauf gerichtet, ein Gnaden- 10
gesuch [3] aufzusetzen und ihre Kinder zu sehen. Sie war
wunderbar gefaßt, geistesgegenwärtig und tapfer, ein
Trost für alle anderen, die sie hätten trösten müssen. Mein
jüngster Bruder drängte sich nach der Verhandlung rasch
vor zu den dreien und drückte ihnen die Hand. Als ihm 15
dabei die Tränen in die Augen traten, legte Hans ruhig
die Hand auf seine Schulter und sagte: „Bleib stark, —
keine Zugeständnisse." [4] Ja, keine Zugeständnisse, weder
im Leben noch im Sterben. Sie hatten nicht versucht, sich
zu retten, indem sie den Richtern einwandfreie [5] national- 20
sozialistische Gesinnung, Verdienste und so weiter vorzuspiegeln [6] versuchten. Nichts dergleichen kam über ihre
Lippen. Wer nur eine einzige solche politische Verhandlung während des Dritten Reiches [7] erlebt hat, der weiß,
was das bedeutet. Im Angesicht des Todes oder des Kerkers 25
— wer wollte darüber ein abschätzendes [8] Wort verlieren —,
im Angesicht dieser teuflischen Richter versuchten viele
ihre wahre Gesinnung zu verbergen, um ihres Lebens und
der Zukunft willen.

[1] **feindselig** hostile
[2] **in ihren Bann schlugen** brought under their spell
[3] **Gnadengesuch** petition for pardon
[4] **Zugeständnisse** concessions
[5] **einwandfrei** irreproachable
[6] **vorzuspiegeln** to pretend to
[7] **Dritten Reiches** of the Third Empire, the name adopted by the Nazis for their regime. The first empire was the Holy Roman Empire of medieval times, the second was the Hohenzollern empire, which began with the unification of Germany in 1871 and ended with the First World War in 1918.
[8] **abschätzend** derogatory

Jedem von den dreien war, wie üblich, zum Schluß noch das Wort erteilt worden, um für sich zu sprechen. Sophie schwieg. Christl bat um sein Leben um seiner Kinder willen. Und Hans versuchte, dies zu unterstützen und
5 auch ein Wort für seinen Freund einzulegen. Da wurde es ihm von Freisler grob abgeschnitten: „Wenn Sie für sich selbst nichts vorzubringen haben, schweigen Sie gefälligst."

An die Stunden, die nun noch folgten, werden Worte wohl nie ganz herankommen können.
10 Die drei wurden in das große Vollstreckungsgefängnis [1] München-Stadelheim überführt, das neben dem Friedhof am Rand des Perlacher Forstes liegt.

Dort schrieben sie ihre Abschiedsbriefe. Sophie bat darum, noch einmal ihren Vernehmungsbeamten von der
15 Gestapo sprechen zu dürfen. Sie habe noch eine Aussage [2] zu machen. Es war ihr etwas eingefallen, das einen ihrer Freunde entlasten konnte.

Christl, der konfessionslos aufgewachsen war, verlangte einen katholischen Geistlichen. Er wollte die Taufe [3] emp-
20 fangen, nachdem er sich schon lange innerlich dem katholischen Glauben zugewandt hatte. In einem Brief an seine Mutter heißt es: „Ich danke Dir, daß Du mir das Leben gegeben hast. Wenn ich es recht bedenke, war es ein einziger Weg zu Gott. Ich gehe Euch jetzt einen Sprung
25 voraus, um Euch einen herrlichen Empfang zu bereiten . . ."
Inzwischen war es meinen Eltern wie durch ein Wunder gelungen, ihre Kinder noch einmal zu besuchen. Eine solche Erlaubnis war sonst unmöglich zu erhalten. Zwischen 16 und 17 Uhr eilten sie zum Gefängnis. Sie wußten noch
30 nicht, daß es endgültig die letzte Stunde ihrer Kinder war.
Zuerst wurde ihnen Hans zugeführt. Er trug Sträflingskleider.[4] Aber sein Gang war so leicht und aufrecht, und

---

[1] **Vollstreckungsgefängnis** execution prison
[2] **Aussage** statement, testimony
[3] **Taufe** baptism
[4] **Sträflingskleider** prison clothes

nichts Äußeres konnte seinem Wesen Abbruch [1] tun. Sein Gesicht war schmal und abgezehrt,[2] wie nach einem schweren Kampf; nun leuchtete es und überstrahlte alles. Er neigte sich liebevoll über die trennende Schranke [3] und gab jedem die Hand. „Ich habe keinen Haß, ich habe 5 alles, alles unter mir." Mein Vater schloß ihn in die Arme und sagte: „Ihr werdet in die Geschichte eingehen, es gibt noch eine Gerechtigkeit." Darauf trug Hans Grüße an alle seine Freunde auf.[4] Als er zum Schluß noch einen Namen nannte, sprang eine Träne über sein Gesicht, und 10 er beugte sich über die Barriere, damit niemand sie sehe. Dann ging er, ohne die leiseste Angst, und von einem tiefen, herrlichen Enthusiasmus erfüllt.

Darauf wurde Sophie von einer Wachtmeisterin [5] herbeigeführt. Sie trug ihre eigenen Kleider und ging langsam 15 und gelassen und sehr aufrecht. (Nirgends lernt man so aufrecht gehen wie im Gefängnis.) Sie lächelte immer, als schaue sie in die Sonne. Bereitwillig und heiter nahm sie die Süßigkeiten, die Hans abgelehnt hatte: „Ach ja, gerne, ich habe ja noch gar nicht Mittag gegessen." Es war eine 20 unbeschreibliche Lebensbejahung bis zum Schluß, bis zum letzten Augenblick. Auch sie war um einen Schein [6] schmaler geworden, aber in ihrem Gesicht stand ein wunderbarer Triumph. Ihre Haut war blühend und frisch — das fiel der Mutter auf wie noch nie —, und ihre Lippen waren 25 tiefrot und leuchtend. „Nun wirst du also gar nie mehr zur Türe hereinkommen", sagte die Mutter. „Ach, die paar Jährchen, Mutter", gab sie zur Antwort. Und dann betonte sie auch, wie Hans, fest, überzeugt und triumphierend: „Wir haben alles, alles auf uns genommen" und „Das 30 wird Wellen schlagen".[7]

---

[1] **Abbruch tun** impair
[2] **abgezehrt** wasted
[3] **Schranke** barrier
[4] **trug Grüße auf** sent greetings
[5] **Wachtmeisterin** police woman

[6] **um einen Schein** just a trace
[7] **Das wird Wellen schlagen** this will produce waves (influence others)

Das war in diesen Tagen ihr großer Kummer gewesen, ob die Mutter den Tod gleich zweier Kinder ertragen würde. Aber nun, da sie so tapfer und gut bei ihr stand, war Sophie wie erlöst. Noch einmal sagte die Mutter, um irgendeinen

5 Halt anzudeuten: „Gelt,[1] Sophie: Jesus." Ernst, fest und fast befehlend gab Sophie zurück: „Ja, aber du auch." Dann ging auch sie, — frei, furchtlos, gelassen. Mit einem unaufhörlichen Lächeln im Gesicht.

Christl konnte niemanden mehr von seinen Angehörigen

10 sehen. Seine Frau lag im Wochenbett [2] mit seinem dritten Kindchen, seinem ersten Töchterchen. Sie erfuhr von dem Schicksal ihres Mannes erst, als er nicht mehr lebte.

Die Gefangenenwärter [3] berichteten:

„Sie haben sich so fabelhaft tapfer benommen. Das ganze

15 Gefängnis war davon beeindruckt. Deshalb haben wir das Risiko auf uns genommen — wäre es rausgekommen, hätte es schwere Folgen für uns gehabt —, die drei noch einmal zusammenzuführen, einen Augenblick vor der Hinrichtung. Wir wollten, daß sie noch eine Zigarette miteinander rauchen

20 konnten. Es waren nur ein paar Minuten, aber ich glaube, es hat viel für sie bedeutet. ‚Ich wußte nicht, daß Sterben so leicht sein kann', sagte Christl Probst. Und dann: ‚In wenigen Minuten sehen wir uns in der Ewigkeit wieder.'

Dann wurden sie abgeführt, zuerst das Mädchen. Sie

25 ging, ohne mit der Wimper [4] zu zucken. Wir konnten alle nicht begreifen, daß so etwas möglich ist. Der Scharfrichter [5] sagte, so habe er noch niemanden sterben sehen."

Und Hans, ehe er sein Haupt auf den Block legte, rief laut, daß es durch das große Gefängnis hallte: [6] „Es lebe

30 die Freiheit".

Zunächst schien es, als sei mit dem Tod dieser drei alles

[1] **Gelt** remember, won't you
[2] **Wochenbett** childbed
[3] **Gefangenenwärter** prison guards
[4] **ohne mit der Wimper zu zucken** without the quiver of an eyelash
[5] **Scharfrichter** executioner
[6] **hallte** resounded

abgeschlossen. Sie verschwanden still und beinahe heimlich in der Erde des Perlacher Friedhofs, während eine strahlende Vorfrühlingssonne sich zum Untergehen neigte.

„Niemand hat größere Liebe denn die, daß er sein Leben 5
lässet für seine Freunde", sagte der Gefängnisgeistliche, der sich als einer der ihrigen zu ihnen bekannt und sie voller Verständnis betreut hatte. Er gab uns die Hand und wies auf die untergehende Sonne. Und er sagte: „Sie geht auch wieder auf." 10

Nach kurzer Zeit jedoch erfolgte aufs neue Verhaftung auf Verhaftung. Und in einem zweiten Prozeß — wir erfuhren es an einem Karfreitag [1] im Gefängnis — wurden neben einer Reihe von Freiheitsstrafen drei weitere Todesurteile durch den Volksgerichtshof gefällt: über Professor 15 Huber, Willi Graf und Alexander Schmorell.

In Notizen von Professor Huber, der auch in Haft, vor und nach der Verurteilung, unermüdlich an seinem wissenschaftlichen Werk arbeitete, fand sich der folgende Entwurf für das „Schlußwort des Angeklagten". Es sind 20 Worte, die, wie berichtet wird, mindestens ihrem Sinn nach, vor dem „Volksgericht" wiederholt wurden:

„Als deutscher Staatsbürger, als deutscher Hochschullehrer und als politischer Mensch erachte ich es als Recht nicht nur, sondern als sittliche Pflicht, an der Gestaltung 25 der deutschen Geschicke [2] mitzuarbeiten, offenkundige Schäden aufzudecken und zu bekämpfen . . .
Was ich bezweckte, war die Weckung der studentischen Kreise, nicht durch eine Organisation, sondern durch das schlichte Wort, nicht zu einem Akt der Gewalt, sondern 30 zur sittlichen Einsicht in bestehende schwere Schäden des politischen Lebens. Rückkehr zu klaren, sittlichen Grundsätzen, zum Rechtsstaat, zu gegenseitigem Vertrauen von Mensch zu Mensch, das ist nicht illegal, sondern um-

---

[1] **Karfreitag** Good Friday 　　　[2] **Geschicke** destinies

gekehrt die Wiederherstellung [1] der Legalität. Ich habe mich im Sinne von Kants kategorischem Imperativ gefragt, was geschähe, wenn diese subjektive Maxime meines Handelns ein allgemeines Gesetz würde. Darauf kann es
5 nur eine Antwort geben: Dann würden Ordnung, Sicherheit, Vertrauen in unser Staatswesen, in unser politisches Leben zurückkehren. Jeder sittlich Verantwortliche würde mit uns seine Stimme erheben gegen die drohende Herrschaft der bloßen Macht über das Recht, der bloßen Will-
10 kür über den Willen des sittlich Guten. Die Forderung der freien Selbstbestimmung auch des kleinsten Volksteils ist in ganz Europa vergewaltigt, nicht minder die Forderung der Wahrung [2] der rassischen und völkischen Eigenart. Die grundlegende Forderung wahrer Volks-
15 gemeinschaft ist durch die systematische Untergrabung des Vertrauens von Mensch zu Mensch zunichte gemacht. Es gibt kein furchtbareres Urteil über eine Volksgemeinschaft als das Eingeständnis, das wir alle machen müssen, daß keiner sich vor seinem Nachbarn, der Vater nicht
20 mehr vor seinen Söhnen sicher fühlt.

Das war es, was ich wollte, mußte.

Es gibt für alle äußere Legalität eine letzte Grenze, wo sie unwahrhaftig und unsittlich wird. Dann nämlich, wenn sie zum Deckmantel einer Feigheit wird, die sich nicht
25 getraut, gegen offenkundige Rechtsverletzung [3] aufzutreten. Ein Staat, der jegliche freie Meinungsäußerung unterbindet [4] und jede, aber auch jede sittlich berechtigte Kritik, jeden Verbesserungsvorschlag [5] als ‚Vorbereitung zum Hochverrat‘ unter die furchtbarsten Strafen stellt, bricht
30 ein ungeschriebenes Recht, das ‚im gesunden Volksempfinden‘ noch immer lebendig war und lebendig bleiben muß.“

---

[1] **Wiederherstellung** restoration
[2] **Wahrung** preservation
[3] **Rechtsverletzung** violation of justice
[4] **unterbindet** prohibits
[5] **Verbesserungsvorschlag** suggestion for improvement

So ungefähr müssen die Ausführungen [1] geendet haben: „Ich habe das eine Ziel erreicht, diese Warnung und Mahnung nicht in einem privaten, kleinen Diskutierklub, sondern an verantwortlicher, an höchster richterlicher Stelle vorzubringen. Ich setze für diese Mahnung, für 5 diese beschwörende [2] Bitte zur Rückkehr, mein Leben ein. Ich fordere die Freiheit für unser deutsches Volk zurück. Wir wollen nicht an Sklavenketten unser kurzes Leben dahinfristen,[3] und wären es goldene Ketten eines materiellen Überflusses. 10

Sie haben mir den Rang und die Rechte des Professors und den ‚summa cum laude‘ erarbeiteten Doktorhut [4] genommen und mich dem niedrigsten Verbrecher gleichgestellt. Die innere Würde des Hochschullehrers,[5] des offenen, mutigen Bekenners seiner Welt- und Staats- 15 anschauung, kann mir kein Hochverratsverfahren rauben. Mein Handeln und Wollen wird der eherne [6] Gang der Geschichte rechtfertigen; darauf vertraue ich felsenfest. Ich hoffe zu Gott, daß die geistigen Kräfte, die es rechtfertigen, rechtzeitig aus meinem eigenen Volke sich ent- 20 binden [7] mögen. Ich habe gehandelt, wie ich aus einer inneren Stimme heraus handeln mußte. Ich nehme die Folgen auf mich nach dem schönen Wort Johann Gottlieb Fichtes: [8]

> Und handeln sollst du so,
> Als hinge von dir und deinem Tun allein
> Das Schicksal ab der deutschen Dinge,
> Und die Verantwortung wär’ dein.“

---

[1] **Ausführungen** argumentation
[2] **beschwörende Bitte** urgent appeal
[3] **dahinfristen** live miserably
[4] **Doktorhut** doctor’s degree
[5] **Hochschullehrer** university teacher
[6] **eherne** brazen, iron
[7] **sich entbinden** free themselves
[8] **Johann Gottlieb Fichte** (1762–1814) famous German philosopher

I

Nichts ist eines Kulturvolkes unwürdiger, als sich ohne
Widerstand von einer verantwortungslosen und dunklen
Trieben ergebenen Herrscherclique „regieren" zu lassen.
Ist es nicht so, daß sich jeder ehrliche Deutsche heute
seiner Regierung schämt, und wer von uns ahnt das Aus-   5
maß der Schmach, die über uns und unsere Kinder kommen
wird, wenn einst der Schleier von unseren Augen gefallen
ist und die grauenvollsten und jegliches Maß unendlich
überschreitenden Verbrechen ans Tageslicht treten? Wenn
das deutsche Volk schon so in seinem tiefsten Wesen kor-   10
rumpiert und zerfallen ist, daß es, ohne eine Hand zu regen,
im leichtsinnigen Vertrauen auf eine fragwürdige Gesetz-
mäßigkeit [1] der Geschichte das Höchste, das ein Mensch
besitzt und das ihn über jede andere Kreatur erhöht, nämlich
den freien Willen, preisgibt, die Freiheit des Menschen   15
preisgibt, selbst mit einzugreifen in das Rad der Geschichte
und es seiner vernünftigen Entscheidung unterzuordnen —
wenn die Deutschen so jeder Individualität bar,[2] schon so
sehr zur geistlosen und feigen Masse geworden sind, dann,
ja dann verdienen sie den Untergang.   20
    Goethe spricht von den Deutschen als einem tragischen
Volke, gleich dem der Juden und Griechen, aber heute

[1] **fragwürdige Gesetzmäßig-
    keit der Geschichte** the
    questionable idea that his-
tory must follow certain
laws
[2] **bar** devoid of

hat es eher den Anschein, als sei es eine seichte,[1] willenlose Herde von Mitläufern, denen das Mark [2] aus dem Innersten gesogen und die nun ihres Kernes beraubt, bereit sind, sich in den Untergang hetzen zu lassen. Es scheint so
5 — aber es ist nicht so; vielmehr hat man in langsamer, trügerischer, systematischer Vergewaltigung jeden einzelnen in ein geistiges Gefängnis gesteckt, und erst, als er darin gefesselt lag, wurde er sich des Verhängnisses [3] bewußt. Wenige nur erkannten das drohende Verderben,
10 und der Lohn für ihr heroisches Mahnen war der Tod. Über das Schicksal dieser Menschen wird noch zu reden sein.

Wenn jeder wartet, bis der andere anfängt, werden die Boten der rächenden Nemesis [4] unaufhaltsam näher und
15 näher rücken, dann wird auch das letzte Opfer sinnlos in den Rachen [5] des unersättlichen Dämons geworfen sein. Daher muß jeder einzelne seiner Verantwortung als Mitglied der christlichen und abendländischen [6] Kultur bewußt in dieser letzten Stunde sich wehren, soviel er kann, ar-
20 beiten wider die Geißel [7] der Menschheit, wider den Faschismus und jedes ihm ähnliche System des absoluten Staates. Leistet passiven Widerstand — *Widerstand* —, wo immer ihr auch seid, verhindert das Weiterlaufen dieser atheistischen Kriegsmaschine, ehe es zu spät ist, ehe die
25 letzten Städte ein Trümmerhaufen sind, gleich Köln, und ehe die letzte Jugend des Volkes irgendwo für die Hybris [8] eines Untermenschen verblutet ist. Vergeßt nicht, daß ein jedes Volk diejenige Regierung verdient, die es erträgt!

Aus Friedrich Schiller, „Die Gesetzgebung des Lykurgus [9]
30 und Solon": [10] „. . . Gegen seinen eigenen Zweck gehalten,

---

[1] **seicht** superficial
[2] **Mark** marrow
[3] **Verhängnis** doom
[4] **Nemesis** goddess of revenge
[5] **Rachen** jaws
[6] **abendländisch** Occidental
[7] **Geißel** scourge
[8] **Hybris** overweening pride
[9] **Lykurgus** ancient Spartan lawmaker
[10] **Solon** ancient Athenian lawmaker

ist die Gesetzgebung des Lykurgus ein Meisterstück der Staats- und Menschenkunde.[1] Er wollte einen mächtigen, in sich selbst gegründeten, unzerstörbaren Staat; politische Stärke und Dauerhaftigkeit waren das Ziel, wonach er strebte, und dieses Ziel hat er so weit erreicht, als unter 5 seinen Umständen möglich war. Aber hält man den Zweck, welchen Lykurgus sich vorsetzte, gegen den Zweck der Menschheit, so muß eine tiefe Mißbilligung[2] an die Stelle der Bewunderung treten, die uns der erste, flüchtige Blick abgewonnen hat. Alles darf dem Besten des Staates zum 10 Opfer gebracht werden, nur dasjenige nicht, dem der Staat selbst nur als ein Mittel dient. Der Staat selbst ist niemals Zweck, er ist nur wichtig als eine Bedingung, unter welcher der Zweck der Menschheit erfüllt werden kann, und dieser Zweck der Menschheit ist kein anderer, 15 als Ausbildung aller Kräfte des Menschen, Fortschreitung.[3] Hindert eine Staatsverfassung,[4] daß alle Kräfte, die im Menschen liegen, sich entwickeln; hindert sie die Fortschreitung des Geistes, so ist sie verwerflich[5] und schädlich, sie mag übrigens noch so durchdacht und in ihrer 20 Art noch so vollkommen sein. Ihre Dauerhaftigkeit selbst gereicht ihr alsdann vielmehr zum Vorwurf, als zum Ruhme[6] — sie ist dann nur ein verlängertes Übel; je länger sie Bestand[7] hat, umso schädlicher ist sie.

... Auf Unkosten[8] aller sittlichen Gefühle wurde das 25 politische Verdienst errungen und die Fähigkeit dazu ausgebildet. In Sparta gab es keine eheliche[9] Liebe, keine Mutterliebe, keine kindliche Liebe, keine Freundschaft — es gab nichts als Bürger, nichts als bürgerliche Tugend.

---

[1] **Staats- und Menschenkunde** political and human understanding
[2] **Mißbilligung** disapproval
[3] **Fortschreitung** progress
[4] **Staatsverfassung** national constitution
[5] **verwerflich** reprehensible
[6] **gereicht ihr alsdann vielmehr zum Vorwurf als zum Ruhme** redounds to its discredit rather than to its credit
[7] **je länger sie Bestand hat** the longer it lasts
[8] **Auf Unkosten** at the expense of
[9] **ehelich** marital

... Ein Staatsgesetz machte den Spartanern die Unmenschlichkeit gegen ihre Sklaven zur Pflicht; in diesen unglücklichen Schlachtopfern [1] wurde die Menschheit beschimpft [2] und mißhandelt. In dem spartanischen
5 Gesetzbuch selbst wurde der gefährliche Grundsatz gepredigt, Menschen als Mittel und nicht als Zwecke zu betrachten — dadurch wurden die Grundfesten [3] des Naturrechts und der Sittlichkeit gesetzmäßig eingerissen.

... Welch schöneres Schauspiel gibt der rauhe Krieger
10 Cajus Marcius in seinem Lager vor Rom, der Rache und Sieg aufopfert, weil er die Tränen der Mutter nicht fließen sehen kann!

... Der Staat (des Lykurgus) könnte nur unter der einzigen Bedingung fortdauern, wenn der Geist des Volks still-
15 stünde; er könnte sich also nur dadurch erhalten, daß er den höchsten und einzigen Zweck eines Staates verfehlte."

Wir bitten Sie, dieses Blatt mit möglichst vielen Durchschlägen [4] abzuschreiben und weiterzuverteilen!

---

[1] **Schlachtopfer** victim
[2] **beschimpft** outraged
[3] **Grundfesten** foundations
[4] **Durchschläge** carbon copies

II

Man kann sich mit dem Nationalsozialismus geistig nicht auseinandersetzen, weil er ungeistig ist. Es ist falsch, wenn man von einer nationalsozialistischen Weltanschauung spricht, denn wenn es diese gäbe, müßte man versuchen, sie mit geistigen Mitteln zu beweisen oder zu bekämpfen — 5 die Wirklichkeit aber bietet uns ein völlig anderes Bild: schon in ihrem ersten Keim war diese Bewegung auf den Betrug des Mitmenschen angewiesen,[1] schon damals war sie im Innersten verfault und konnte sich nur durch die stete Lüge retten. Schreibt doch Hitler selbst in einer 10 frühen Auflage[2] „seines" Buches (ein Buch, das in dem übelsten Deutsch geschrieben worden ist, das ich je gelesen habe; dennoch ist es von dem Volke der Dichter und Denker zur Bibel erhoben worden): „Man glaubt nicht, wie man ein Volk betrügen muß, um es zu regieren." Wenn 15 sich nun am Anfang dieses Krebsgeschwür[3] des deutschen Volkes noch nicht allzusehr bemerkbar gemacht hatte, so nur deshalb, weil noch gute Kräfte genug am Werk waren, es zurückzuhalten. Wie es aber größer und größer wurde und schließlich mittels einer letzten gemeinen Korruption 20 zur Macht kam, das Geschwür gleichsam aufbrach und den ganzen Körper besudelte,[4] versteckte sich die Mehrzahl der

[1] **angewiesen** dependent
[2] **Auflage** edition
[3] **Krebsgeschwür** cancerous tumor

[4] **besudelte** polluted

früheren Gegner, flüchtete die deutsche Intelligenz in ein Kellerloch, um dort als Nachtschattengewächs,[1] dem Licht und der Sonne verborgen, allmählich zu ersticken. Jetzt stehen wir vor dem Ende. Jetzt kommt es darauf an,[2] sich

5 gegenseitig wiederzufinden, aufzuklären von Mensch zu Mensch, immer daran zu denken und sich keine Ruhe zu geben, bis auch der letzte von der äußersten Notwendigkeit seines Kampfes wider dieses System überzeugt ist. Wenn so eine Welle des Aufruhrs [3] durch das Land geht, wenn „es

10 in der Luft liegt", wenn viele mitmachen, dann kann in einer letzten, gewaltigen Anstrengung dieses System abgeschüttelt werden. Ein Ende mit Schrecken ist immer noch besser, als ein Schrecken ohne Ende.

Es ist uns nicht gegeben, ein endgültiges Urteil über den

15 Sinn unserer Geschichte zu fällen. Aber wenn diese Katastrophe uns zum Heile dienen soll, so doch nur dadurch: Durch das Leid gereinigt zu werden, aus der tiefsten Nacht heraus das Licht zu ersehnen, sich aufzuraffen [4] und endlich mitzuhelfen, das Joch [5] abzuschütteln, das die Welt

20 bedrückt.

Nicht über die Judenfrage wollen wir in diesem Blatte schreiben, keine Verteidigungsrede verfassen — nein, nur als Beispiel wollen wir die Tatsache kurz anführen, die Tatsache, daß seit der Eroberung Polens *dreihunderttausend*

25 Juden in diesem Land auf bestialischste Art ermordet worden sind. Hier sehen wir das fürchterlichste Verbrechen an der Würde des Menschen, ein Verbrechen, dem sich kein ähnliches in der ganzen Menschengeschichte an die Seite stellen kann. Auch die Juden sind doch Menschen —

30 man mag sich zur Judenfrage stellen wie man will —, und an Menschen wurde solches verübt.[6] Vielleicht sagt jemand, die Juden hätten ein solches Schicksal verdient;

---

[1] **Nachtschattengewächs**
night-growing plant
[2] **Jetzt kommt es darauf an**
Now the thing to do is....
[3] **Aufruhr** rebellion

[4] **sich aufzuraffen** to pull oneself together
[5] **Joch** yoke
[6] **verübt** perpetrated

diese Behauptung [1] wäre eine ungeheure Anmaßung; [2] aber angenommen,[3] es sagte jemand dies, wie stellt er sich dann zu der Tatsache, daß die gesamte polnische adelige Jugend vernichtet worden ist (gebe Gott, daß sie es noch nicht ist!)? Auf welche Art, fragen Sie, ist solches geschehen? 5 Alle männlichen Sprößlinge [4] aus adeligen Geschlechtern [5] zwischen 15 und 20 Jahren wurden in Konzentrations- lager nach Deutschland zu Zwangsarbeit, alle Mädchen gleichen Alters nach Norwegen in die Bordelle [6] der SS verschleppt! Wozu wir dies Ihnen alles erzählen, da Sie 10 es schon selber wissen, wenn nicht diese, so andere gleich schwere Verbrechen des fürchterlichen Untermenschentums? Weil hier eine Frage berührt wird, die uns alle zutiefst angeht und allen zu denken geben *muß*. Warum verhält sich das deutsche Volk angesichts all dieser scheußlich- 15 sten, menschenunwürdigsten Verbrechen so apathisch? Kaum irgend jemand macht sich Gedanken darüber. Die Tatsache wird als solche hingenommen und ad acta [7] gelegt. Und wieder schläft das deutsche Volk in seinem stumpfen, blöden Schlaf weiter und gibt diesen faschistischen Ver- 20 brechern Mut und Gelegenheit, weiterzuwüten — und diese tun es. Sollte dies ein Zeichen dafür sein, daß die Deutschen in ihren primitivsten menschlichen Gefühlen verroht [8] sind, daß keine Saite [9] in ihnen schrill aufschreit im Angesicht solcher Taten, daß sie in einen tödlichen Schlaf 25 versunken sind, aus dem es kein Erwachen mehr gibt, nie, niemals? Es scheint so und ist es bestimmt, wenn der Deutsche nicht endlich aus dieser Dumpfheit auffährt, wenn er nicht protestiert, wo immer er nur kann gegen diese Verbrecherclique, wenn er mit diesen Hundert- 30 tausenden von Opfern nicht mitleidet. Und nicht nur Mit- leid muß er empfinden, nein, noch viel mehr: *Mitschuld*.

[1] **Behauptung** assertion
[2] **Anmaßung** presumption
[3] **angenommen** let us assume
[4] **Sprößlinge** offspring
[5] **Geschlechtern** families
[6] **Bordelle** brothels
[7] **ad acta gelegt** shelved
[8] **verroht** become brutalized
[9] **Saite** cord, string (of a musical instrument)

Denn er gibt durch sein apathisches Verhalten diesen
dunklen Menschen erst die Möglichkeit, so zu handeln, er
leidet diese „Regierung", die eine so unendliche Schuld
auf sich geladen hat, ja er ist doch selbst schuld daran,
5 daß sie überhaupt entstehen konnte! Ein jeder will sich
von einer solchen Mitschuld freisprechen, ein jeder tut es
und schläft dann wieder mit ruhigstem, bestem Gewissen.
Aber er kann sich nicht freisprechen, ein jeder ist *schuldig,
schuldig, schuldig!* Doch ist es noch nicht zu spät, diese ab-
10 scheulichste aller Mißgeburten von Regierungen aus der
Welt zu schaffen, um nicht noch mehr Schuld auf sich zu
laden. Jetzt, da uns in den letzten Jahren die Augen vollkommen geöffnet worden sind, da wir wissen, mit wem
wir es zu tun haben, jetzt ist es allerhöchste Zeit, diese
15 braune [1] Horde auszurotten.[2] Bis zum Ausbruch des Krieges
war der größte Teil des deutschen Volkes geblendet, die
Nationalsozialisten zeigten sich nicht in ihrer wahren Gestalt, doch jetzt, da man sie erkannt hat, muß es die einzige
und höchste Pflicht, ja heiligste Pflicht eines jeden Deut-
20 schen sein, diese Bestien zu vertilgen.[3]

„Der, des Verwaltung unauffällig ist, des Volk ist
froh. Der, des Verwaltung aufdringlich [4] ist, des Volk
ist gebrochen.
Elend, ach, ist es, worauf Glück sich aufbaut. Glück,
25 ach, verschleiert nur Elend. Wo soll das hinaus? Das
Ende ist nicht abzusehen. Das Geordnete verkehrt
sich in Unordnung, das Gute verkehrt sich in Schlech-
tes. Das Volk gerät in Verwirrung. Ist es nicht so
täglich seit langem?
30 Daher ist der Hohe Mensch rechteckig,[5] aber er stößt
nicht an, er ist kantig,[6] aber verletzt nicht, er ist auf-

---

[1] **braune** *refers to the brown
uniforms of the Nazi Storm
Troopers*
[2] **auszurotten** to exterminate

[3] **vertilgen** annihilate
[4] **aufdringlich** obtrusive
[5] **rechteckig** rectangular
[6] **ist kantig** has sharp edges

recht, aber nicht schroff. Er ist klar, aber will nicht glänzen."

Lao-tse [1]

„Wer unternimmt, das Reich zu beherrschen und es nach seiner Willkür zu gestalten; ich sehe ihn sein Ziel nicht 5 erreichen; das ist alles.

„Das Reich ist ein lebendiger Organismus; es kann nicht gemacht werden, wahrlich! Wer daran machen will, verdirbt es, wer sich seiner bemächtigen will, verliert es."

Daher: „Von den Wesen gehen manche voraus, andere 10 folgen ihnen, manche atmen warm, manche kalt, manche sind stark, manche schwach, manche erlangen Fülle, andere unterliegen."

„Der Hohe Mensch daher läßt ab von Übertriebenheit,[2] läßt ab von Überhebung,[3] läßt ab von Übergriffen." [4]   15

Lao-tse

Wir bitten, diese Schrift mit möglichst vielen Durchschlägen [5] abzuschreiben und weiterzuverteilen.

---

[1] **Lao-tse** Chinese philosopher
[2] **Übertriebenheit** excesses
[3] **Überhebung** presumption
[4] **Übergriffe** encroachments
[5] **Durchschläge** carbon copies

III

„Salus publica suprema lex" [1]
Alle idealen Staatsformen sind Utopien. Ein Staat kann
nicht rein theoretisch konstruiert werden, sondern er muß
ebenso wachsen, reifen wie der einzelne Mensch. Aber es
5 ist nicht zu vergessen, daß am Anfang einer jeden Kultur
die Vorform des Staates vorhanden war. Die Familie ist
so alt wie die Menschen selbst, und aus diesem anfäng-
lichen Zusammensein hat sich der vernunftbegabte Mensch
einen Staat geschaffen, dessen Grund die Gerechtigkeit
10 und dessen höchstes Gesetz das Wohl Aller sein soll. Der
Staat soll eine Analogie der göttlichen Ordnung darstellen,
und die höchste aller Utopien, die civitas dei,[2] ist das Vorbild, dem er sich letzten Endes nähern soll. Wir wollen
hier nicht urteilen über die verschiedenen möglichen Staats-
15 formen, die Demokratie, die konstitutionelle Monar-
chie, das Königtum usw. Nur eines will eindeutig und
klar herausgehoben [3] werden: jeder einzelne Mensch hat
einen Anspruch [4] auf einen brauchbaren und gerechten
Staat, der die Freiheit des Einzelnen als auch das Wohl der
20 Gesamtheit [5] sichert. Denn der Mensch soll nach Gottes

[1] **salus publica suprema lex**
the well-being of the people
is the supreme law
[2] **civitas dei** "City of God,"
an ideal Christian society as
outlined by St. Augustine

[3] **herausgehoben** pointed out
[4] **hat einen Anspruch auf** is
entitled to
[5] **Gesamtheit** all the people

Willen frei und unabhängig im Zusammenleben und Zu-
sammenwirken der staatlichen Gemeinschaft sein natür-
liches Ziel, sein irdisches Glück in Selbständigkeit und
Selbsttätigkeit zu erreichen suchen.

Unser heutiger „Staat" aber ist die Diktatur des Bösen. 5
„Das wissen wir schon lange", höre ich Dich einwenden,
„und wir haben es nicht nötig, daß uns dies hier noch einmal vorgehalten wird." Aber, frage ich Dich, wenn ihr das
wißt, warum regt ihr euch nicht, warum duldet ihr, daß
diese Gewalthaber Schritt für Schritt offen und im Ver- 10
borgenen eine Domäne eures Rechtes nach der anderen
rauben, bis eines Tages nichts, aber auch gar nichts übrig
bleiben wird als ein mechanisiertes Staatsgetriebe,[1] kommandiert von Verbrechern und Säufern?[2] Ist euer Geist
schon so sehr der Vergewaltigung unterlegen, daß ihr ver- 15
geßt, daß es nicht nur euer Recht, sondern eure *sittliche
Pflicht* ist, dieses System zu beseitigen? Wenn aber ein
Mensch nicht mehr die Kraft aufbringt, sein Recht zu
fordern, dann muß er mit absoluter Notwendigkeit untergehen. Wir würden es verdienen, in alle Welt verstreut zu 20
werden wie der Staub vor dem Winde, wenn wir uns in
dieser zwölften Stunde nicht aufrafften[3] und endlich den
Mut aufbrächten, der uns seither gefehlt hat. Verbergt
nicht eure Feigheit unter dem Mantel der Klugheit. Denn
mit jedem Tag, da ihr noch zögert, da ihr dieser Ausgeburt[4] 25
der Hölle nicht widersteht, wächst eure Schuld gleich einer
parabolischen Kurve höher und immer höher.

Viele, vielleicht die meisten Leser dieser Blätter sind sich
darüber nicht klar, wie sie einen Widerstand ausüben
sollen. Sie sehen keine Möglichkeiten. Wir wollen ver- 30
suchen, Ihnen zu zeigen, daß ein jeder in der Lage ist, etwas
beizutragen zum Sturz dieses Systems. Nicht durch indi-
vidualistische Gegnerschaft, in der Art verbitterter Ein-

---

[1] **–getriebe** machinery
[2] **Säufer** drunkards
[3] **aufrafften** pulled together

[4] **Ausgeburt der Hölle** hell-
born monster

siedler,[1] wird es möglich werden, den Boden für einen
Sturz dieser „Regierung" reif zu machen oder gar den
Umsturz möglichst bald herbeizuführen, sondern nur
durch die Zusammenarbeit vieler überzeugter, tatkräftiger
5 Menschen, Menschen, die sich einig sind, mit welchen
Mitteln sie ihr Ziel erreichen können. Wir haben keine
reiche Auswahl an solchen Mitteln, nur ein einziges steht
uns zur Verfügung — der *passive Widerstand.*

Der Sinn und das Ziel des passiven Widerstandes ist, den
10 Nationalsozialismus zu Fall zu bringen, und in diesem
Kampf ist vor keinem Weg, vor keiner Tat zurückzu-
schrecken, mögen sie auf Gebieten liegen, auf welchen sie
auch wollen. An *allen* Stellen muß der Nationalsozialismus
angegriffen werden, an denen er nur angreifbar ist. Ein
15 Ende muß diesem Unstaat bald bereitet werden — ein Sieg
des faschistischen Deutschland in diesem Kriege hätte
unabsehbare, fürchterliche Folgen. Nicht der militärische
Sieg über den Bolschewismus darf die erste Sorge für jeden
Deutschen sein, sondern die Niederlage der Nationalsozia-
20 listen. Dies muß *unbedingt* an erster Stelle stehen. Die
größere Notwendigkeit dieser letzten Forderung werden wir
Ihnen in einem unserer nächsten Blätter beweisen.

Und jetzt muß sich ein jeder entschiedene Gegner des
Nationalsozialismus die Frage vorlegen: Wie kann er gegen
25 den gegenwärtigen „Staat" am wirksamsten ankämpfen,
wie ihm die empfindlichsten [2] Schläge beibringen? Durch
den passiven Widerstand — zweifellos. Es ist klar, daß
wir unmöglich für jeden Einzelnen Richtlinien [3] für sein
Verhalten geben können, nur allgemein andeuten [4] können
30 wir, den Weg zur Verwirklichung muß jeder selber finden.

Sabotage in Rüstungs- [5] und kriegswichtigen Betrieben,
Sabotage in allen Versammlungen, Kundgebungen,[6] Fest-

---

[1] **Einsiedler** hermit
[2] **empfindlichsten** most griev-
ous
[3] **Richtlinien** rules of conduct
[4] **andeuten** suggest

[5] **Rüstungsbetriebe** armament
factories
[6] **Kundgebungen** demonstra-
tions

lichkeiten, Organisationen, die durch die nationalsozialistische Partei ins Leben gerufen werden. Verhinderung
des reibungslosen [1] Ablaufs der Kriegsmaschine (einer
Maschine, die nur für einen Krieg arbeitet, der *allein* um
die Rettung und Erhaltung der nationalsozialistischen 5
Partei und ihrer Diktatur geht). *Sabotage* auf allen wissenschaftlichen und geistigen Gebieten, die für eine Fortführung
des gegenwärtigen Krieges tätig sind — sei es in Universitäten, Hochschulen, Laboratorien, Forschungsanstalten,[2]
technischen Büros. *Sabotage* in allen Veranstaltungen [3] 10
kultureller Art, die das „Ansehen" der Faschisten im Volke
heben könnten. *Sabotage* in allen Zweigen der bildenden
Künste,[4] die nur im geringsten im Zusammenhang mit dem
Nationalsozialismus stehen und ihm dienen. *Sabotage* in
allem Schrifttum, allen Zeitungen, die im Solde [5] der „Re- 15
gierung" stehen, für ihre Ideen, für die Verbreitung der
braunen [6] Lüge kämpfen. Opfert nicht einen Pfennig bei
Straßensammlungen (auch wenn sie unter dem Deckmantel
wohltätiger Zwecke geführt werden). Denn dies ist nur eine
Tarnung.[7] In Wirklichkeit kommt das Ergebnis weder dem 20
Roten Kreuz noch den Notleidenden zugute. Die Regierung braucht das Geld nicht, ist auf diese Sammlungen
finanziell nicht angewiesen [8] — die Druckmaschinen laufen
ja ununterbrochen und stellen jede beliebige Menge von
Papiergeld her. Das Volk muß aber dauernd in Spannung 25
gehalten werden, nie darf der Druck der Kandare [9] nach-
lassen! Gebt nichts für die Metall-, Spinnstoff- [10] und
andere Sammlungen! Sucht alle Bekannten auch aus den

[1] **reibungslos** smooth
[2] **Forschungsanstalten** insti-
tutes for research
[3] **Veranstaltungen** functions
[4] **bildende Künste** plastic and
graphic arts
[5] **im Solde** in the pay
[6] **braun** *refers to the brown
uniforms of the Nazi Storm
Troopers*

[7] **Tarnung** camouflage
[8] **angewiesen** dependent on
[9] **Kandare** bridle-bit
[10] **Metall-, Spinnstoffsamm-
lungen** collections of metals
and textiles for the use of the
army

unteren Volksschichten von der Sinnlosigkeit einer Fortführung, von der Aussichtslosigkeit dieses Krieges, von der
geistigen und wirtschaftlichen Versklavung durch den Nationalsozialismus, von der Zerstörung aller sittlichen und
5 religiösen Werte zu überzeugen und zum *passiven Wider-*
stand zu veranlassen! [1]

Aristoteles, „Über die Politik": „. . . ferner gehört es (zum
Wesen der Tyrannis), dahin zu streben, daß ja nichts verborgen bleibe, was irgendein Untertan spricht oder tut,
10 sondern überall Späher [2] ihn belauschen,[3] . . . ferner alle
Welt miteinander zu verhetzen [4] und Freunde mit Freunden
zu verfeinden und das Volk mit den Vornehmen und die
Reichen unter sich. Sodann gehört es zu solchen tyranni-
schen Maßregeln, die Untertanen arm zu machen, damit
15 die Leibwache [5] besoldet [6] werden kann, und sie, mit der
Sorge um ihren täglichen Erwerb beschäftigt, keine Zeit
und Muße haben, Verschwörungen [7] anzustiften [8] . . .
Ferner aber auch solche Einkommensteuern,[9] wie die in
Syrakus auferlegten, denn unter Dionysios [10] hatten die
20 Bürger dieses Staates in fünf Jahren glücklich ihr ganzes
Vermögen in Steuern [9] ausgegeben. Und auch beständig
Kriege zu erregen, ist der Tyrann geneigt . . ."

Bitte vervielfältigen und weitergeben!

---

[1] **veranlassen** provoke
[2] **Späher** spies
[3] **belauschen** spy on
[4] **alle Welt miteinander zu ver-**
hetzen to set all the people
against each other
[5] **Leibwache** body guard

[6] **besoldet** paid
[7] **Verschwörungen** conspir-
acies
[8] **anzustiften** to instigate
[9] **Steuern** taxes
[10] **Dionysios** Tyrant of Syracuse
(430–367 B.C.)

IV

Es ist eine alte Weisheit, die man Kindern immer wieder
aufs neue predigt, daß, wer nicht hören will, fühlen muß.
Ein kluges Kind wird sich aber die Finger nur einmal am
heißen Ofen verbrennen. In den vergangenen Wochen
hatte Hitler sowohl in Afrika, als auch in Rußland Erfolge 5
zu verzeichnen.[1] Die Folge davon war, daß der Optimismus
auf der einen, die Bestürzung[2] und der Pessimismus auf
der anderen Seite des Volkes mit einer der deutschen Trägheit unvergleichlichen Schnelligkeit anstieg. Allenthalben[3]
hörte man unter den Gegnern Hitlers, also unter dem 10
besseren Teil des Volkes, Klagerufe,[4] Worte der Enttäuschung und der Entmutigung, die nicht selten in dem Ausruf
endigten: ,,Sollte nun Hitler noch . . . ?‘‘
Indessen ist der deutsche Angriff auf Ägypten zum Still-
stand gekommen, Rommel muß in einer gefährlichen, 15
exponierten Lage verharren,[5] — aber noch geht der Vor-
marsch im Osten weiter. Dieser scheinbare Erfolg ist unter
den grauenhaftesten Opfern erkauft worden, so daß er
schon nicht mehr als vorteilhaft bezeichnet werden kann.
Wir warnen daher vor *jedem* Optimismus. 20
Wer hat die Toten gezählt, Hitler oder Goebbels — wohl
keiner von beiden. Täglich fallen in Rußland Tausende.

---

[1] **verzeichnen** record
[2] **Bestürzung** dismay
[3] **allenthalben** on all sides
[4] **Klagerufe** cries of distress
[5] **verharren** remain

Es ist die Zeit der Ernte, und der Schnitter [1] fährt mit vollem Zug [2] in die reife Saat. Die Trauer kehrt ein in die Hütten der Heimat, und niemand ist da, der die Tränen der Mütter trocknet, Hitler aber belügt die, deren teuer-
5 stes Gut er geraubt und in den sinnlosen Tod getrieben hat.

Jedes Wort, das aus Hitlers Munde kommt, ist Lüge. Wenn er Frieden sagt, meint er den Krieg, und wenn er in frevelhaftester [3] Weise den Namen des Allmächtigen
10 nennt, meint er die Macht des Bösen, den gefallenen Engel, den Satan. Sein Mund ist der stinkende Rachen [4] der Hölle, und seine Macht ist im Grunde verworfen. [5] Wohl muß man mit rationalen Mitteln den Kampf wider den national-sozialistischen Terrorstaat führen; wer aber heute noch an
15 der realen Existenz der dämonischen Mächte zweifelt, hat den metaphysischen Hintergrund dieses Krieges bei wei-tem nicht begriffen. Hinter dem Konkreten, hinter dem sinnlich Wahrnehmbaren, [6] hinter allen sachlichen logischen Überlegungen steht das Irrationale, d. i. der Kampf wider
20 den Dämon, wider den Boten des Antichrist. Überall und zu allen Zeiten haben die Dämonen im Dunkeln gelauert auf die Stunde, da der Mensch schwach wird, da er seine ihm von Gott auf Freiheit gegründete Stellung im ordo [7] eigenmächtig verläßt, da er dem Druck des Bösen nach-
25 gibt, sich von den Mächten höherer Ordnung loslöst und so, nachdem er den ersten Schritt freiwillig getan, zum zweiten und dritten und immer mehr getrieben wird mit rasend steigender Geschwindigkeit, — überall und zu allen Zeiten der höchsten Not sind Menschen aufgestanden,
30 Propheten, Heilige, die ihre Freiheit gewahrt [8] hatten, die auf den Einzigen Gott hinwiesen und mit seiner Hilfe das Volk zur Umkehr mahnten. Wohl ist der Mensch frei,

[1] **Schnitter** reaper
[2] **mit vollem Zug** in full swing
[3] **frevelhaft** sacrilegious
[4] **Rachen** jaws
[5] **verworfen** depraved
[6] **das sinnlich Wahrnehm-bare** what is perceptible by the senses
[7] **ordo** order of the universe
[8] **gewahrt** preserved

aber er ist wehrlos wider das Böse ohne den wahren Gott, er ist wie ein Schiff ohne Ruder, dem Sturme preisgegeben, wie ein Säugling [1] ohne Mutter, wie eine Wolke, die sich auflöst. [2]

Gibt es, so frage ich dich, der du ein Christ bist, gibt 5 es in diesem Ringen um die Erhaltung deiner höchsten Güter ein Zögern, ein Spiel mit Intrigen, ein Hinausschieben [3] der Entscheidung in der Hoffnung, daß ein anderer die Waffen erhebt, um dich zu verteidigen? Hat dir nicht Gott selbst die Kraft und den Mut gegeben zu 10 kämpfen? Wir *müssen* das Böse dort angreifen, wo es am mächtigsten ist, und es ist am mächtigsten in der Macht Hitlers.

„Ich wandte mich und sah an alles Unrecht, das geschah unter der Sonne; und siehe, da waren Tränen derer, so 15 Unrecht litten und hatten keinen Tröster; und die ihnen Unrecht taten, waren so mächtig, daß sie keinen Tröster haben konnten.

Da lobte ich die Toten, die schon gestorben waren, mehr denn die Lebendigen, die noch das Leben hatten..." 20 (Sprüche.) [4]

Wir weisen ausdrücklich darauf hin, daß die Weiße Rose nicht im Solde [5] einer ausländischen Macht steht. Obgleich wir wissen, daß die nationalsozialistische Macht militärisch gebrochen werden muß, suchen wir eine Erneuerung des 25 schwerverwundeten deutschen Geistes von innen her zu erreichen. Dieser Wiedergeburt muß aber die klare Erkenntnis aller Schuld, die das deutsche Volk auf sich geladen hat, und ein rücksichtsloser Kampf gegen Hitler und seine allzuvielen Helfershelfer, Parteimitglieder, Quislinge [6] usw. 30

[1] **Säugling** infant
[2] **auflöst** dissolves
[3] **Hinausschieben** postponement
[4] **Sprüche** Proverbs (of Solomon)
[5] **Sold** pay

[6] **Quislinge** collaborators (the word was derived from the name of a Norwegian who collaborated with the Nazis when they attacked his country).

vorausgehen. Mit aller Brutalität muß die Kluft [1] zwischen
dem besseren Teil des Volkes und allem, was mit dem
Nationalsozialismus zusammenhängt, aufgerissen werden.
Für Hitler und seine Anhänger gibt es auf dieser Erde keine
5 Strafe, die ihren Taten gerecht wäre. Aber aus Liebe zu
kommenden Generationen muß nach Beendigung des
Krieges ein Exempel statuiert werden, daß niemand auch
nur die geringste Lust je verspüren [2] sollte, ähnliches aufs
neue zu versuchen. Vergeßt auch nicht die kleinen
10 Schurken [3] dieses Systems, merkt euch die Namen, auf
daß keiner entkomme! Es soll ihnen nicht gelingen, in
letzter Minute noch nach diesen Scheußlichkeiten die Fahne
zu wechseln und so zu tun, als ob nichts gewesen wäre!

Zu Ihrer Beruhigung möchten wir noch hinzufügen, daß
15 die Adressen der Leser der Weißen Rose nirgendwo schrift-
lich niedergelegt sind. Die Adressen sind willkürlich
Adreßbüchern entnommen.
   Wir schweigen nicht, wir sind euer böses Gewissen; die
Weiße Rose läßt euch keine Ruhe!

[1] **Kluft** chasm
[2] **verspüren** feel
[3] **Schurken** rascals

Aufruf an alle Deutsche!

Der Krieg geht seinem sicheren Ende entgegen. Wie im Jahre 1918 versucht die deutsche Regierung alle Aufmerksamkeit auf die wachsende U-Bootgefahr[1] zu lenken, während im Osten die Armeen unaufhörlich zurückströmen, im Westen die Invasion erwartet wird. Die Rüstung[2] 5 Amerikas hat ihren Höhepunkt noch nicht erreicht, aber heute schon übertrifft sie alles in der Geschichte seither Dagewesene. Mit mathematischer Sicherheit führt Hitler das deutsche Volk in den Abgrund. *Hitler kann den Krieg nicht gewinnen, nur noch verlängern!* Seine und seiner Helfer 10 Schuld hat jedes Maß unendlich überschritten. Die gerechte Strafe rückt näher und näher!

Was aber tut das deutsche Volk? Es sieht nicht und es hört nicht. Blindlings folgt es seinen Verführern ins Verderben. Sieg um jeden Preis! haben sie auf ihre Fahne 15 geschrieben. Ich kämpfe bis zum letzten Mann, sagt Hitler — indes ist der Krieg bereits verloren.

Deutsche! Wollt Ihr und Eure Kinder dasselbe Schicksal erleiden, das den Juden widerfahren[3] ist? Wollt Ihr mit dem gleichen Maße gemessen werden wie Eure Verführer? 20 Sollen wir auf ewig das von aller Welt gehaßte und ausgestoßene Volk sein? Nein! Darum trennt Euch von dem

[1] **U-Boot** submarine
[2] **Rüstung** arming
[3] **widerfahren** befallen

nationalsozialistischen Untermenschentum! Beweist durch die Tat, daß Ihr anders denkt! Ein neuer Befreiungskrieg bricht an. Der bessere Teil des Volkes kämpft auf unserer Seite. Zerreißt den Mantel der Gleichgültigkeit, den Ihr
5 um Euer Herz gelegt! Entscheidet Euch, *ehe es zu spät ist!*
Glaubt nicht der nationalsozialistischen Propaganda, die Euch den Bolschewistenschreck in die Glieder gejagt hat! [1] Glaubt nicht, daß Deutschlands Heil mit dem Sieg des Nationalsozialismus auf Gedeih und Verderben [2] verbunden
10 sei! Ein Verbrechertum kann keinen deutschen Sieg erringen. Trennt Euch *rechtzeitig* von allem, was mit dem Nationalsozialismus zusammenhängt! Nachher wird ein schreckliches, aber gerechtes Gericht kommen über die, so sich feig und unentschlossen verborgen hielten.
15 Was lehrt uns der Ausgang dieses Krieges, der nie ein nationaler war?
Der imperialistische Machtgedanke muß, von welcher Seite er auch kommen möge, für alle Zeit unschädlich gemacht werden. Ein einseitiger preußischer Militarismus
20 darf nie mehr zur Macht gelangen. Nur in großzügiger [3] Zusammenarbeit der europäischen Völker kann der Boden geschaffen werden, auf welchem ein neuer Aufbau möglich sein wird. Jede zentralistische Gewalt, wie sie der preußische Staat in Deutschland und Europa auszuüben versucht
25 hat, muß im Keime erstickt werden. Das kommende Deutschland kann nur föderalistisch sein. Nur eine gesunde föderalistische Staatenordnung vermag heute noch das geschwächte Europa mit neuem Leben zu erfüllen. Die Arbeiterschaft muß durch einen vernünftigen Sozialis-
30 mus aus ihrem Zustand niedrigster Sklaverei befreit werden. Das Truggebilde [4] der autarken [5] Wirtschaft muß in Europa

---

[1] **den Bolschewistenschreck in die Glieder gejagt hat** filled with the fear of the Bolshevists
[2] **auf Gedeih und Verderben** for better or for worse
[3] **großzügig** on a large scale
[4] **Truggebilde** spurious structure
[5] **autark** self-sufficient

verschwinden. Jedes Volk, jeder Einzelne hat ein Recht auf die Güter der Welt!

Freiheit der Rede, Freiheit des Bekenntnisses, Schutz des einzelnen Bürgers vor der Willkür verbrecherischer Gewaltstaaten, das sind die Grundlagen des neuen Europas. 5 Unterstützt die Widerstandsbewegung, verbreitet die Flugblätter!

Kommilitonen [1] *Kommilitoninnen!*

Erschüttert steht unser Volk vor dem Untergang der Männer von Stalingrad.[2] Dreihundertdreißigtausend deutsche Männer hat die geniale Strategie des Weltkriegsgefreiten [3] sinn- und verantwortungslos in Tod und Ver-
5 derben gehetzt. Führer, wir danken dir!

Es gärt [4] im deutschen Volk: Wollen wir weiter einem Dilettanten das Schicksal unserer Armeen anvertrauen? Wollen wir den niederen Machtinstinkten einer Parteiclique den Rest der deutschen Jugend opfern? Nimmer-
10 mehr! Der Tag der Abrechnung ist gekommen, der Abrechnung der deutschen Jugend mit der verabscheuungswürdigsten [5] Tyrannis, die unser Volk je erduldet hat. Im Namen der deutschen Jugend fordern wir vom Staat Adolf Hitlers die persönliche Freiheit, das kostbarste Gut des
15 Deutschen zurück, um das er uns in der erbärmlichsten Weise betrogen.

In einem Staat rücksichtsloser Knebelung [6] jeder freien Meinungsäußerung sind wir aufgewachsen. HJ,[7] SA, SS haben uns in den fruchtbarsten Bildungsjahren unseres
20 Lebens zu uniformieren, zu revolutionieren, zu narkoti-

[1] **Kommilitonen** fellow-students
[2] **Stalingrad** long and bloody battle in which the Germans were decisively defeated by the Russians
[3] **–gefreiten** corporal (the reference is to Adolf Hitler)
[4] **gärt** ferments
[5] **verabscheuungswürdig** detestable
[6] **Knebelung** gagging
[7] **HJ = Hitlerjugend**

sieren versucht. „Weltanschauliche Schulung" hieß die
verächtliche Methode, das aufkeimende [1] Selbstdenken in
einem Nebel leerer Phrasen zu ersticken. Eine Führerauslese,[2] wie sie teuflischer und bornierter [3] zugleich nicht gedacht werden kann, zieht ihre künftigen Parteibonzen [4] auf 5
Ordensburgen [5] zu gottlosen, schamlosen und gewissen-
losen Ausbeutern [6] und Mordbuben [7] heran, zur blinden,
stupiden Führergefolgschaft. Wir „Arbeiter des Geistes"
wären gerade recht, dieser neuen Herrenschicht den
Knüppel [8] zu machen. Frontkämpfer werden von Stu- 10
dentenführern und Gauleiteraspiranten wie Schuljungen
gemaßregelt,[9] Gauleiter greifen mit geilen [10] Späßen den Studentinnen an die Ehre. Deutsche Studentinnen haben an
der Münchner Hochschule auf die Besudelung [11] ihrer Ehre
eine würdige Antwort gegeben, deutsche Studenten haben 15
sich für ihre Kameradinnen eingesetzt und standgehalten ...
Das ist ein Anfang zur Erkämpfung unserer freien Selbstbestimmung, ohne die geistige Werte nicht geschaffen
werden können. Unser Dank gilt den tapferen Kameradinnen und Kameraden, die mit leuchtendem Beispiel 20
vorangegangen sind!

Es gibt für uns nur eine Parole: [12] Kampf gegen die Partei!
Heraus aus den Parteigliederungen,[13] in denen man uns
weiter politisch mundtot [14] halten will! Heraus aus den Hör-
sälen [15] der SS-Unter- und Oberführer und Parteikriecher! [16] 25
Es geht uns um wahre Wissenschaft und echte Geistes-
freiheit! Kein Drohmittel kann uns schrecken, auch nicht

[1] **aufkeimend** budding
[2] **Führerauslese** selection of leaders
[3] **bornierter** more narrow-minded
[4] **Parteibonzen** party "big shots"
[5] **Ordensburgen** "elite" schools where Nazi leaders were trained
[6] **Ausbeuter** exploiters
[7] **Mordbuben** assassins
[8] **den Knüppel machen** to be misused by
[9] **gemaßregelt** disciplined
[10] **geil** lewd
[11] **Besudelung** sullying
[12] **Parole** watchword
[13] **Parteigliederungen** party organizations
[14] **mundtot halten** keep silent
[15] **Hörsäle** lecture halls
[16] **–kriecher** crawlers

die Schließung unserer Hochschulen. Es gilt den Kampf
jedes Einzelnen von uns um unsere Zukunft, unsere Freiheit
und Ehre in einem seiner sittlichen Verantwortung bewußten
Staatswesen.

5   Freiheit und Ehre! Zehn lange Jahre haben Hitler und
seine Genossen [1] die beiden herrlichen deutschen Worte bis
zum Ekel [2] ausgequetscht,[3] abgedroschen,[4] verdreht,[5] wie es
nur Dilettanten vermögen, die die höchsten Werte einer
Nation vor die Säue [6] werfen. Was ihnen Freiheit und Ehre
10 gilt, haben sie in zehn Jahren der Zerstörung aller materiellen und geistigen Freiheit, aller sittlichen Substanzen
im deutschen Volk genugsam gezeigt. Auch dem dümm-
sten Deutschen hat das furchtbare Blutbad die Augen
geöffnet, das sie im Namen von Freiheit und Ehre der
15 deutschen Nation in ganz Europa angerichtet haben und
täglich neu anrichten. Der deutsche Name bleibt für immer
geschändet, wenn nicht die deutsche Jugend endlich
aufsteht, rächt und sühnt [7] zugleich, ihre Peiniger [8] zerschmettert [9] und ein neues geistiges Europa aufrichtet. Stu-
20 dentinnen! Studenten! Auf uns sieht das deutsche Volk!
Von uns erwartet es, wie 1813 die Brechung des Napoleoni-
schen, so 1943 die Brechung des nationalsozialistischen
Terrors aus der Macht des Geistes. Beresina [10] und Stalingrad flammen im Osten auf, die Toten von Stalingrad be-
25 schwören [11] uns!

   „Frisch auf mein Volk, die Flammenzeichen rauchen!"
Unser Volk steht im Aufbruch gegen die Verknechtung [12]
Europas durch den Nationalsozialismus, im neuen gläu-
bigen Durchbruch von Freiheit und Ehre.

---

[1] **Genossen** accomplices
[2] **zum Ekel** to the point of nausea
[3] **ausgequetscht** squeezed out
[4] **abgedroschen** overworked
[5] **verdreht** distorted
[6] **Säue** swine
[7] **sühnt** expiates
[8] **Peiniger** tormentors

[9] **zerschmettert** crushes
[10] **Beresina** river over which the remains of Napoleon's army crossed in their retreat from Russia in 1812. The name has come to symbolize Napoleon's defeat by Russia.
[11] **beschwören** adjure
[12] **Verknechtung** enslavement

(Page 3, line 1 — page 17, line 2.)

1. Worüber unterhielten sich die beiden Parteigenossen im Zug? 2. Warum sprachen sie „flüsternd und tuschelnd"? 3. Was geschah mit den jungen Leuten, die zum Widerstand aufgerufen hatten? 4. Worin bestand ihr „Hochverrat"? 5. Wo liegt Ulm? 6. Was erfuhr man eines Tages durch Radio und Zeitungen? 7. Mit welchen Ideen gewannen die Nazis die jungen Leute? 8. Was sagte der Vater dazu? 9. Was taten die Kinder in der Hitlerjugend? 10. Welcher Gedanke fing an, die jungen Mädchen zu beunruhigen? 11. Was bedrückte Hans Scholl? 12. Beschreiben Sie, was am Parteitag in Nürnberg geschah! 13. Was geschah mit dem jungen Lehrer, der nicht Nazi werden wollte? 14. Welche Veränderung fand allmählich in den jungen Leuten statt? 15. Wie erklärte es der Vater, daß die Nazis an die Regierung kommen konnten? 16. Wie hat Hitler die Arbeitslosigkeit beseitigt? 17. Was, sagte der Vater, wäre das Wichtgiste, was man von einer Regierung verlangen müßte? 18. Beschreiben Sie die „Jungenschaft", der Hans und Werner Scholl angehörten! 19. Was ist die Hauptidee in dem Lied, das die Jungen gern sangen? 20. Was wurde schließlich aus der Jungenschaft? 21. Zu welchem Studium entschloß sich Hans? 22. Was für Bücher las er?

(Page 17, line 3 — page 23, line 3.)

1. Was tat Hans, als der Zweite Weltkrieg ausbrach? 2. Worunter litt er am meisten? 3. Was geschah um diese Zeit in Münster? 4. Was geschah in den Heil- und Pflegeanstalten für Geisteskranke? 5. Was sagte Hans, nachdem er die Blätter des Bischofs von Galens gelesen hatte? 6. Welche Wirkung hatte das Kriegserlebnis in Frankreich auf Hans gehabt? 7. Mit welchen Leuten kam Hans in dieser Zeit zusammen? 8. Wie begann die Freundschaft mit Alexander Schmorell? 9. Was für ein Mensch war Alex? 10. Was war die Basis der Freundschaft zwischen Hans und Christl Probst?

11. Wofür interessierte sich Willi Graf? 12. Was taten die
Freunde, wenn sie sich trafen?

(Page 23, line 4 — page 28, line 26.)

1. Was hatte Sophie tun müssen, bevor sie mit dem Studium
anfangen konnte? 2. Warum war das halbe Jahr Kriegshilfsdienst ihr zo schwer geworden? 3. Was half ihr, diese Zeit zu
ertragen? 4. Was erlebte sie in dem Park, der ums Lager lag?
5. Woran dachte die Mutter, während sie bügelte? 6. Warum
hatte die Gestapo den Vater geholt? 7. Beschreiben Sie
Sophie, wie sie am Morgen ihrer Abreise aussah! 8. Was
taten die Freunde am Abend von Sophies Ankunft in München?
9. Worüber sprachen sie? 10. Was sah Sophie im Ein-
schlafen? 11. Was hörte sie Hans plötzlich sagen?

(Page 28, line 27 — page 36, line 12.)

1. Was für Pläne machten die Nazis für die Zukunft
Deutschlands? 2. Was für ein Mensch war Professor Huber?
3. Was geschah, als Sophie kaum sechs Wochen in München
war? 4. Was war Sophies Reaktion, als sie davon hörte?
5. Was waren ihre Gefühle, als sie das Flugblatt las? 6. Was
fand sie in Hans' Zimmer, als sie dort auf ihn wartete? 7. Was
waren ihre Gefühle, als es ihr klar wurde, daß die Flugblätter
von Hans waren? 8. Warum machte sie Hans Vorwürfe?
9. Welchen Entschluß faßte sie, bevor Hans kam? 10. Was
geschah in der darauffolgenden Zeit? 11. Wohin wurde die
Studentenkompagnie geschickt? 12. Was hatten Hans'
Freunde inzwischen getan? 13. Welchen Entschluß faßten sie
am Abend vor ihrer Abfahrt nach Rußland? 14. Welche zwei
Dinge, sagte Professor Huber, müßten sie versuchen zu tun?
15. Warum, sagte Christl, müßten sie es tun, auch wenn es
nicht gelänge? 16. Was tat Sophie, als die Studenten fort
waren?

(Page 36, line 13 — page 45, line 29.)

1. Was geschah jetzt mit dem Vater? 2. Was bedeutete das
Zuhause für Sophie? 3. Was erzählten die Diakonissen-

schwestern aus Schwäbisch-Hall? 4. Wo trafen sich Hans und Werner? 5. Was sagte Hans über die Verhaftung des Vaters? 6. Woran erinnerte sich Hans zuerst, als er zu seiner Kompagnie zurückritt? 7. Warum warf das junge jüdische Mädchen ihm seine „Eiserne Ration" vor die Füße? 8. Beschreiben Sie den jüdischen Greis, an den Hans dachte! 9. Was hatte Hans einmal im Heimatlazarett erlebt? 10. Was taten die Freunde, als sie aus Rußland zurückkehrten? 11. Was mußten sie dauernd fürchten? 12. Wodurch gewannen sie wieder Mut? 13. Wie verbreiteten sie die Flugblätter? 14. Was mußten sie fürchten, wenn sie im Zug saßen? 15. Was für Nachrichten konnte man in dieser Zeit oft in den Zeitungen lesen? 16. Was für Leute bekamen ein Staatsbegräbnis? 17. Wie sahen die Titelseiten der Zeitungen aus? 18. Warum waren die Zeitungen so verschwiegen? 19. Wovon berichteten sie nicht? 20. Wovon erzählte ein Freund von Herrn Scholl?

(Page 46, line 1 — page 52, line 21.)

1. Warum durfte Sophie nicht telefonieren, um die Freunde zu fragen, wo Hans war? 2. Woran dachte sie, während sie auf Hans wartete? 3. Was geschah in dieser Zeit bei Stalingrad? 4. Was erzählten Hans und seine Freunde, als sie nach Hause kamen? 5. Warum konnten die Frauen, die die Straße reinigten, Sophie nicht verstehen? 6. Wie hatte sich die Widerstandsbewegung verbreitet? 7. Welche Warnung erhielt Hans? 8. Warum beschloß er, nicht zu fliehen? 9. Warum arbeiteten die Freunde um diese Zeit mit besonderem Eifer? 10. Was taten Hans und Sophie am Morgen des 18. Februar 1943? 11. Was geschah, gleich nachdem sie die Wohnung verlassen hatten? 12. Was machten Hans und Sophie mit ihren Flugblättern? 13. Wie wurden die beiden entdeckt? 14. Warum war Sophie so verzweifelt, als sie von Christl Probsts Verhaftung hörte? 15. Welches Einvernehmen bestand zwischen Hans und Sophie?

(Page 52, line 22 — page 61, line 28.)

1. Was für eine Arbeit hatte Else Gebel im Gestapo-Gefängnis? 2. Warum hatte sie solche Angst für die neueingelieferten

Gefangenen? 3. In welcher Verfassung kam Sophie im Gefängnis an? 4. Warum glaubte Else Gebel, daß die Gestapobeamten sich in Sophie getäuscht hätten? 5. Welchen Rat gab sie Sophie? 6. Was taten andere Häftlinge im Gefängnis für Sophie und Hans? 7. Wie lange dauerte das zweite Verhör? 8. In welcher Verfassung kam Sophie zurück aus dem Verhör? 9. Worauf hofften Sophie und Else Gebel? 10. Was wußten die jungen Leute der Widerstandsbewegung von Anfang an? 11. Worüber hielt Sophies Sachbearbeiter ihr einen Vortrag? 12. Welche Nachricht kam am Sonntag Morgen? 13. Was tat Sophies Sachbearbeiter für sie? 14. Was wußte Sophie mit Sicherheit, nachdem sie die Anklageschrift gelesen hatte? 15. Was, glaubte sie, würde nach ihrem und ihres Bruders Tod in der Studentenschaft geschehen? 16. Was war der einzige Wunsch, den Sophie dem Pflichtverteidiger gegenüber äußerte? 17. Welcher Gedanke bedrückte sie am meisten? 18. Wie legte sie ihren Traum aus? 19. Welche Nachricht kam am Montag Nachmittag vom Hauptgebäude ins Gefängnis? 20. Wann wurde das Urteil vollstreckt?

(Page 61, line 29 — page 71, line 28.)

1. Warum wollte die Gestapo Hans nicht allein in seiner Zelle lassen? 2. Was war Hans' größte Sorge während der Verhöre? 3. In was für einer Stimmung war er sehr oft? 4. Was konnte man durch seine Heiterkeit hindurch spüren? 5. Was taten die Eltern, sobald sie von der Verhaftung ihrer Kinder hörten? 6. Warum wurden Verhandlung und Urteilsvollstreckung mit so großer Eile durchgeführt? 7. Welchen Eindruck machten die Angeklagten auf die feindseligen Zuschauer? 8. Inwiefern waren sie nicht wie manche anderen, die während des Dritten Reiches vor einen Volksgerichtshof kamen? 9. Warum wollte Sophie nach ihrer Verurteilung noch einmal mit ihrem Vernehmungsbeamten sprechen? 10. Was für eine Haltung behielten Hans und Sophie auch beim Abschied von den Eltern? 11. Was taten die Gefangenenwärter am Schluß noch für die drei Verurteilten? 12. Wo war die Familie Scholl, als sie erfuhr, daß auch Professor Huber, Willi Graf und Alexander Schmorell zum Tode verur-

teilt worden waren? 13. Was waren die wichtigsten Gedanken, die Professor Huber in seinem „Schlußwort des Angeklagten" zum Ausdruck brachte? 14. Welches eine Ziel hat er dabei erreicht?

The following classes of words have been omitted from this vocabulary:

(a) articles, common pronouns, possessive adjectives, names of months and days of the week.

(b) most compound words whose meanings are an exact product of their component parts, e.g., **Lebenslust, niederlegen, hinabsteigen.**

(c) identical or nearly identical cognates, e.g., **Ware, eiskalt.**

(d) words with the prefix **un-,** if the positive form occurs.

(e) words translated in the footnotes.

Plurals of nouns and vowel changes in the past and past participle of strong and of irregular weak verbs are indicated. Separable prefixes of verbs are hyphenated.

A

ab off, away; down; **ab und zu** now and then

ab-bringen, a, a dissuade, divert

der **Abend, –e** evening; **heute abend** this evening

das **Abendbrot, –e** supper

das **Abenteuer, —** adventure

ab-geben, a, e deliver, give up

ab-gewinnen, a, o win

der **Abgrund, ‟e** abyss

abgrundtief abysmal

ab-hängen von, i, a depend on

ab-holen call for, meet

ab-lassen, ie, a leave off

der **Ablauf** running

ab-lehnen decline, refuse

die **Ablehnung** rejection, refusal

ab-nehmen, a, o take away

die **Abrechnung, –en** accounting

die **Abreise, –n** departure

der **Abschied, –e** farewell, departure

ab-schließen, o, o close, terminate

der **Abschluß, ‟e** closing

ab-schreiben, ie, ie copy

ab-schütteln shake off

ab-sehen, a, e foresee

die **Absicht, –en** intention

absichtlich purposely, intentional

ab-stoppen stop, put an end to

das **Abteil, –e** compartment

achtlos careless

der **Adel** nobility

adelig noble

die **Ader, –n** vein, artery

ahnen have a foreboding, suspect

ähnlich similar

allein alone

allerlei all kinds of

alles everything

allgemein general

allmählich gradual, little by little

der **Alltag, –e** everyday, workday

alltäglich ordinary, everyday

alsdann then, thereupon

als as, when; than

also so, thus

alt old

das **Alter, —** age

altmodisch old-fashioned

das **Amt, ‟er** office, duty

an at, near, by, on; to, up to

an-brechen, a, o dawn, begin

ander other

ändern change

anders different

an-deuten suggest, intimate

an-fangen, i, a start, begin

anfänglich initial, in the beginning

an-führen cite
an-gehen, i, a concern
der Angehörige, –n relative
angenehm pleasant
angesehen respected, distinguished
das Angesicht, –er face, countenance
angesichts in the face of
an-greifen, i, i attack
der Angriff, –e attack
die Angst, ⁻e fear, anxiety; Angst haben be afraid
an-hören listen to; sich anhören wie sound like
an-klagen accuse
an-kommen, a, o arrive; ankommen auf depend on
die Ankunft, ⁻e arrival
an-merken notice, observe
an-nehmen, a, o accept
die Anordnung, –en order, arrangement
an-regen stimulate
an-rennen a, a rush at, attack
an-richten produce
an-rollen start rolling
die Anschauung, –en view, philosophy
der Anschein appearance
an-schlagen, u, a attach
an-schließen, o, o join
das Ansehen respect, prestige
an-spornen spur on
die Anstalt, –en institution
an-steigen, ie, ie rise
an-stoßen, ie, o bump against
an-strengen strain, exert; angestrengt with great effort
anstrengend strenuous
die Anstrengung, –en effort, exertion
an-treten, a, e step up, fall in line
die Antwort, –en answer
antworten answer
an-vertrauen entrust
an-ziehen, o, o attract, approach, pull on
der Apfel, — apple
der Appell roll call

die Arbeit, –en work
arbeiten work
die Arbeiterschaft working class
die Arbeitslosigkeit unemployment
arm poor
die Armut poverty
die Art, –en kind, sort, way
der Arzt, ⁻e doctor, physician
der Atem breath; mit angehaltenem Atem with bated breath
der Atemzug, ⁻e breath
atmen breathe
auf on, upon, up
auf-atmen breathe a sigh of relief
der Aufbau reconstruction
auf-bauen build up, reconstruct
auf-brechen, a, o rise, start, burst out
der Aufbruch rising up
auf-decken uncover
auf-drängen force upon
auferlegen impose
auf-fahren, u, a rise up
auf-fallen, ie, a attract attention, be noticeable
auffällig conspicuous
auf-fordern call upon, summon
die Aufgabe, –n task, assignment
auf-gehen, i, a rise
auf-greifen, i, i take up
auf-heben, o, o pick up
auf-hören cease, stop
auf-klären enlighten, clear up
aufmerksam attentive; aufmerksam machen call attention to
die Aufmerksamkeit attention, attentiveness
der Aufnahmeraum, ⁻e receiving room
die Aufnahmestelle, –n receiving center
auf-nehmen, a, o accept, receive
auf-opfern sacrifice
aufrecht upright
die Aufregung excitement

auf-reißen, i, i open wide, tear open
auf-richten raise up
die Aufrichtigkeit honesty, sincerity
der Aufruf, –e appeal, summons
auf-rufen, ie, u call, summon
auf-schlagen, u, a open
die Aufschrift, –en inscription
die Aufsicht supervision
der Auftrag, ⸚e commission, task
auf-treten, a, e step out, appear
der Auftrieb, –e impetus
auf-tun, a, a open
auf-weisen, ie, ie explain, interpret
das Auge, –n eye
der Augenblick, –e moment
aus-bauen extend, expand
aus-bilden educate, train
die Ausbildung training, development
aus-brechen, a, o break out
aus-breiten spread out
die Ausdauer persistence
ausdrücklich expressly
sich auseinander-setzen mit discuss
der Ausgang, ⸚e exit, closing
aus-halten, ie, a endure, stand
aus-hungern starve
ausländisch foreign
das Ausmaß, –e extent
aus-reichen suffice
aus-richten perform
aus-saugen suck out
aus-schließen, o, o exclude
äußer outer
äußerst utmost
außergewöhnlich exceptional
außerhalb outside of
äußern express
die Äußerung, –en utterance, expression
die Aussicht, –en prospect
die Aussichtslosigkeit hopelessness
die Aussprache, –n discussion
aus-steigen, ie, ie get out, climb out

aus-stoßen, ie, o ostracize
aus-üben practice, exercise, carry on
die Auswahl, –en choice
aus-weiten expand
aus-zeichnen distinguish
die Auszeichnung, –en distinction

B

das Bad, ⸚er bath
baden bathe
der Bahnhof, ⸚e railroad station
der Bahnsteig, –e station platform
bald soon
baldig speedy
der Band, ⸚e volume
bange afraid
bangen fear, tremble (with fear)
der Bärentreiber, — driver of bears
barmherzig merciful
der Bauch, ⸚e stomach, belly
bauen build
der Bauer, –n farmer, peasant
beachten consider, heed
der Beamte, –n official
beben tremble
bedächtig thoughtful
bedecken cover
bedenken, a, a consider
bedeuten mean
die Bedeutung, –en meaning, significance
die Bedingung, –en condition
die Bedrohung, –en threat, danger
bedrücken oppress
das Bedürfnis, –se need
beeindrucken impress
die Beerdigung, –en funeral
befallen, ie, a attack, befall
der Befehl, –e order, command
befehlen, a, o order, command
befördern advance
befreien set free
die Befreiung freedom, relief
befreundet sein be friends
die Befriedigung satisfaction
begabt gifted, talented

die **Begabung, –en** talent, endowment
sich begeben, a, e betake oneself, go
begegnen meet, encounter
begeistert enthusiastic
die **Begeisterung** enthusiasm
begierig eager
begleiten accompany
begraben, u, a bury
das **Begräbnis, –se** funeral
begreifen, i, i comprehend, grasp
beharrlich presevering, unflinching
behaupten maintain, assert
beherrschen rule over, control
behutsam careful, cautious
bei-bringen, a, a inflict
beide both
beinahe almost
beisammen together
bei-stehen, a, a back up, help
bei-stimmen agree with
bei-tragen, u, a contribute
bei-wohnen be present at, attend
bekämpfen combat
bekannt known
der **Bekannte, –n** acquaintance
bekennen, a, a admit, confess
das **Bekenntnis, –se** confession
bekommen, a, o receive, get
belasten incriminate
die **Belastung** incrimination
nach Belieben at will
beliebig: jede . . . Menge any amount desired
belügen, o, o deceive
sich bemächtigen (*with gen.*) usurp
bemerkbar noticeable
die **Bemerkung, –en** remark
die **Bemühung, –en** effort
das **Benehmen** conduct
benützen use
beobachten observe
bequem comfortable, convenient
berauben rob
berechtigt justified

der **Bereich, –e** realm
bereichern enrich
bereit ready
bereiten prepare; cause
bereits already
bereitwillig willing
der **Berg, –e** mountain
der **Bericht, –e** report
berichten report
bersten, a, o burst
berüchtigt notorious
der **Beruf, –e** profession
beruhigen calm down, quiet
die **Beruhigung** composure; **zu Ihrer Beruhigung** for your peace of mind
berühren touch
die **Berührung, –en** contact, touch
beschäftigen busy, occupy
beschreiben, ie, ie describe
die **Beschriftung, –en** inscription
beseitigen remove, eliminate
besiegeln seal
der **Besitz, –e** possession, property
besitzen, a, e possess, own
der **Besitzer, —** owner
die **Besitzung, –en** property
besonder special, particular
besonders especially
besprechen, a, o discuss
beständig constant
bestätigen confirm
bestehen, a, a exist, complete successfully; **bestehen in** consist of
die **Bestie, –n** beast
bestimmen determine, characterize
bestimmt certain
die **Bestimmung, –en** determination
bestreiten dispute
der **Besuch, –e** visit, visitor
besuchen visit
sich beteiligen take part
beten pray
betonen emphasize
betrachten regard, consider
betreuen take care of
betroffen disconcerted
der **Betrug, ⁻e** deception

betrügen, o, o deceive, cheat; **betrügen um** cheat out of
das **Bett, –en** bed
beugen bend; **sich beugen** bow
beunruhigen disturb, worry
die **Bevölkerung, –en** population
bevor-stehen, a, a lie ahead
bewahren preserve, keep
bewältigen accomplish, master
bewegen move
die **Bewegung, –en** motion, movement
der **Beweis, –e** proof
beweisen, ie, ie prove
der **Bewohner, —** inhabitant, resident
bewundern admire
die **Bewunderung** admiration
bewußt conscious
bezahlen pay
bezeichnen characterize
bezwecken aim at, purpose
bezweifeln doubt
die **Bibliothek, –en** library
bieten, o, o offer, present
das **Bild, –er** picture
bilden form, educate
die **Bildung** formation, education
bisher till now
bisherig previous
bißchen little bit
blaß pale
das **Blatt, –er** leaf, page
blättern turn the pages, leaf through
blau blue
bleiben, ie, ie stay, remain
der **Bleistift, –e** pencil
der **Blick, –e** glance
blicken glance
blindlings blindly
der **Blitz, –e** lightning, flash
blöde stupid
bloß naked, only, mere
blühen bloom, blossom, flourish
die **Blume, –n** flower
der **Blumenstrauß, –e** bouquet of flowers
die **Bluse, –n** blouse

das **Blut** blood
bluten bleed
blutig bloody
der **Boden, –** floor, ground
böse evil, bad, angry
das **Boot, –e** boat
der **Bote, –n** messenger
die **Botschaft, –en** message
brauchbar serviceable, useful
brauchen use, need
brauen brew
braun brown
brechen, a, o break
die **Brechung** breaking
breit broad, wide
brennen, a, a burn
der **Brief, –e** letter
der **Briefkasten, –** mail box
das **Brot, –e** bread
der **Bruch, –e** break
der **Bruder, –** brother
die **Brust, –e** breast, chest
das **Buch, –er** book
der **Buchstabe, –n** letter (of the alphabet)
sich bücken bend down
die **Bude, –n** room, student's quarters
bügeln iron
bunt many-colored, gay
der **Bürger, —** citizen
bürgerlich bourgeois, middle-class
der **Bürgermeister, —** mayor
das **Büro, –s** office
der **Bursche, –n** fellow, boy
die **Bürste, –n** brush

C

der **Chor, –e** chorus
das **Christentum** Christianity

D

da there; since
das **Dach, –er** roof
daheim at home
daher from there, hence
dahin (to) there
damals at that time
damit in order that
dampfen steam
dar-stellen present, represent

darum therefore, for that reason

das Dasein existence

dasjenige that

die Dauerhaftigkeit durability

dauern last

dauernd continually, constantly

die Decke, –n cover

decken cover

der Deckmantel, ⸰ cloak

dehnen stretch out

denken, a, a think; denken an think of

denn for (*conj.*)

dennoch nevertheless

derartig that sort of

dergleichen such, that sort of

derjenige that

deshalb therefore, for that reason

deuten point to

die Deutung, –en explanation, interpretation

deutlich clear

dichten write poetry, compose

der Dichter, — poet, creative writer

dienen serve

der Dienst, –e service; Dienst machen be on duty

das Ding, –e thing

doch yet, after all, but

die Donau Danube

der Donnerschlag, ⸰e stroke of thunder

doppelt double

das Dorf, ⸰er village

dort there

dorthin (to) there

drängen press, crowd

draußen outside, outdoors

drehen turn

dringen, a, u penetrate, push

dringend urgent

zum drittenmal for the third time

drohen threaten

das Drohmittel, — threat

der Druck, –e pressure; print

drucken print

drücken press, oppress

die Druckmaschine, –n printing press

die Drucksache –n printed matter

duften be fragrant

dulden endure, tolerate

die Dumpfheit dullness, heaviness, closeness

dunkel dark

durch through

der Durchbruch, ⸰e breakthrough

durchdringen, a, u penetrate

durch-halten, ie, a hold out

durch-setzen push through, achieve

die Durchsuchung, –en search

dürfen, u, u be allowed

das Dutzend, –e dozen

E

eben just, simply

ebenfalls likewise, also

ebenso just as, in the same way

echt genuine

ehe before (*conj.*)

die Ehre, –n honor

die Ehrfurcht reverence, respect

ehrlich honest

der Eifer zeal, eagerness

eigen own

die Eigenart, –en distinctive characteristic

eigenmächtig arbitrary, by one's own will

eigens on purpose, specially

eigentlich real, actual

das Eigentum, ⸰er property

eigentümlich peculiar, strange

eigenwillig self-willed

eilen hurry

der Eimer, — bucket, pail

ein into

einander each other

eindeutig clear, unambiguous

ein-dringen, a, u force one's way into

der Eindruck, ⸰e impression

eindrucksvoll impressive

einfach simple
der Einfall, ⸚e idea
ein-fallen, ie, a occur to
der Eingang, ⸚e entrance
das Eingeständnis –se admission
ein-gestehen, a, a admit, confess
ein-greifen, i, i intervene
einig united, agreed
einige a few
ein-kehren go in, stop in
ein-laden, u, a invite
ein-legen put in
ein-liefern turn in
einmal once; noch einmal once again
ein-reden persuade
ein-reihen enroll, enter
ein-reißen, i, i tear down, raze
ein-richten establish
einsam lonely
ein-schlafen, ie, a fall asleep
ein-schließen, o, o include
ein-sehen, a, e understand
einseitig one-sided
ein-setzen stake; appoint; sich einsetzen für take the part of
die Einsicht insight, understanding
einst at one time, formerly
ein-stehen, a, a stand up
die Eintragung, –en registration
ein-treten, a, e enter, take place; stand up for
ein-wenden, a, a object
einzeln single, individual
ein-ziehen, o, o draft; move into
einzig only
das Eisen iron
die Eisenbahn, –en railroad
eisern iron
eisig icy
der Ekel disgust, aversion
das Elend misery
die Eltern parents
der Empfang, ⸚e reception; in Empfang nehmen receive
empfehlen, a, o recommend
empfinden, a, u feel

empor up, upward, on high; sich empor-ziehen, o, o run up
die Empörung indignation
das Ende, –n: letzten Endes in the final analysis; zu Ende at an end
endgültig final, conclusive
endlich finally
eng tight, narrow
der Engel, — angel
entbrennen, a, a blaze up, be kindled
entdecken discover
enteignen dispossess
entfalten unfold, develop
die Entfaltung unfolding, development
entgegen toward, opposite
entgegengesetzt opposing, opposite
entgegnen reply
enthalten, ie, a contain
entkommen, a, o get away, escape
entlang along
entlassen, ie, a dismiss, discharge
die Entlassung dismissal
entlasten exonerate
entleeren empty
die Entmutigung discouragement
entnehmen, a, o take from
sich entscheiden, ie, ie decide
die Entscheidung, –en decision
entschieden resolute, definite
sich entschließen, o, o decide
entschlossen determined, with determination
der Entschluß, ⸚e decision; einen Entschluß fassen make a decision
entschwinden, a, u disappear
entsetzlich horrible, awful
entsetzt horrified
sich entsinnen, a, o recall, remember
entstehen, a, a come into being, arise
enttäuschen disappoint

die **Enttäuschung, –en** disappointment
entwerfen, a, o draft
entwickeln develop
der **Entwurf, ⸚e** draft
entziehen, o, o withhold, take away, withdraw
erachten regard
erarbeiten achieve by one's labors
erbarmungslos pitiless
die **Erde** earth
erdulden endure
sich ereignen take place
das **Ereignis, –se** event
ereilen overtake
erfahren, u, a experience, find out, learn
die **Erfahrung, –en** experience
erfassen seize
erfinden, a, u invent
der **Erfolg, –e** success
erfolgen ensue, follow
erfreut happy, pleased
erfrieren, o, o freeze to death
erfüllen fill, fullfil
ergeben devoted
das **Ergebnis, –se** result, yield
ergehen, i, a: über sich ergehen lassen submit to
ergreifen, i, i grasp, seize
erhalten, ie, a receive, keep; preserve
die **Erhaltung** preservation, maintenance
erheben, o, o raise, take up; **sich erheben** arise, rise up
die **Erhebung, –en** uprising
erhöhen elevate
sich erholen recover
sich erinnern remember
die **Erinnerung, –en** memory, recollection
erkämpfen gain by fighting
die **Erkämpfung** winning
erkaufen purchase
erkennen, a, a recognize, perceive
die **Erkenntnis, –se** understanding, knowledge
erklären explain
die **Erklärung, –en** explanation

sich erkundigen inquire
erlangen attain
erlauben permit, allow
die **Erlaubnis** permission
erleben experience
das **Erlebnis, –se** event, experience
erledigen dispose of, finish
erleichtern relieve
die **Erleichterung** relief
erleiden, i, i suffer, win by suffering, endure
erlösen release, free from worry
ermorden murder
die **Erneuerung, –en** renewal
ernst serious; **ernst-machen** treat seriously, bring to realization
der **Ernst** seriousness
die **Ernte, -n** harvest
erobern conquer
die **Eroberung, –en** conquest
erregen excite, arouse, incite
die **Erregung, –en** excitement
erreichen attain, reach, achieve
erringen, a, u gain, win
erscheinen, ie, ie appear
erschießen, o, o shoot (to death)
erschlagen, u, a kill, slay
erschüttern shake, move deeply
die **Erschütterung, –en** shock
ersehnen long for
erst first, at first; not until, only
ersticken choke, suffocate
erteilen grant; **das Wort erteilen** grant permission to speak
ertragen, u, a bear, endure
erträglich bearable, endurable
erwachen wake up
erwachsen, u, a grow up
erwähnen mention
erwarten expect, await
die **Erwartung, –en** expectation
erwecken arouse, rouse
erweitern expand
der **Erwerb** livelihood

erwerben, a, o acquire
erwischen catch
erzählen tell
etliche a few, several, some
etwa about; perhaps
etwaig any possible
etwas something; **so etwas
that kind of thing**
ewig eternal
die Ewigkeit eternity

F

fabelhaft wonderful, remarkable
der Faden, ⸚ thread
die Fahne, −n flag, banner
fähig capable
die Fähigkeit, −en ability, capa-
bility
fahren, u, a go, travel, ride,
drive
die Fahrt, −en trip; **auf Fahrt
gehen** make an excursion
der Fall, ⸚e fall, case; **auf alle
Fälle** in any case
die Falle, −n trap
fallen, ie, a fall; **schwer
fallen** be difficult
fällen: ein Urteil fällen pass
judgment, pronounce sen-
tence
falsch false, wrong
fangen, i, a catch; **gefangen
sitzen** to be imprisoned
die Farbe, −n color
fassen grasp; **gefaßt** composed; **einen Entschluß
fassen** make a decision
die Fassung composure
fassungslos beside oneself
die Feier, −n celebration
feierlich solemn
feiern celebrate
feig cowardly
die Feigheit cowardice
fein fine, delicate
feinsinnig sensitive
der Feind, −e enemy
felsenfest firm as a rock
das Fenster, — window
die Ferien vacation
fern far, distant

die Ferne, −n distance
ferner in addition
fertig finished, ready
die Fessel, −n fetter, handcuff
fesseln fetter, handcuff
fest firm, fast
das Fest, −e celebration, festival
die Festlichkeit, −en festivity
feucht damp
das Feuer, — fire
fiebernd feverish
die Flasche, −n bottle
flattern flutter
fliegen, o, o fly
der Flieger, — flier, airplane pilot
der Fliegeralarm, −e air-raid
alarm
der Fliegerangriff, −e air-raid
fliehen, o, o flee
fließen, o, o flow
die Flöte, −n flute, pipe
die Flucht escape, flight
flüchten flee
flüchtig fleeting
das Flugblatt, ⸚er leaflet
der Flügel, — wing
das Flugzeug, −e airplane
der Flur, −e vestibule
der Fluß, ⸚e river
flüstern whisper
fordern demand; summon
die Forderung, −en demand
forschen search, investigate
fort away, off, gone; on, farther
die Fortführung continuation
fort-setzen continue
die Frage, −n question
fragen ask
fragwürdig questionable, du-
bious
(das) Frankreich France
französisch French
die Frau, −en woman, wife
das Fräulein Miss
frei free
frei-halten, ie, a keep available
die Freiheit freedom
die Freiheitsstrafe, −n prison
sentence
freilich to be sure, certainly,
of course

frei-sprechen, a, o acquit, absolve
freiwillig voluntary, willing
fremd strange
die **Fremdheit** strangeness
fressen, a, e eat, devour
die **Freude, -n** joy
freudig joyful
der **Friede** peace
der **Friedhof, ⁺e** cemetery
friedlich peaceful
frieren, o, o freeze, be cold
frisch fresh
die **Frist, -en** respite
froh glad
fröhlich joyful
fromm devout, pious
die **Frömmigkeit** devoutness, piety
fruchtbar fruitful
früh early
der **Frühling, -e** spring
frühlinghaft spring-like
das **Frühjahr, -e** spring
das **Frühstück, -e** breakfast
fühlen (sich) feel
führen lead
der **Führer, —** leader
die **Fülle** fullness
das **Fundament, -e** foundation
der **Funke, -n** spark
für for
furchtbar terrible
fürchten fear; **sich fürchten** be afraid
furchtlos fearless
der **Fuß, ⁺e** foot
der **Fußbreit** foot's breadth

G

der **Gang, ⁺e** corridor; course, walk; **in vollem Gang** in full swing
ganz entire, quite, very
gänzlich wholly, completely
gar very, quite, entirely; even; **gar nicht** not at all; **gar nichts** nothing at all
der **Gast, ⁺e** guest
der **Gau, -e** in former times a political geographic unit. The term was revived by the Nazis in a spirit of nationalism, and the country was arbitrarily divided into **Gaue.**
der **Gauleiter, —** head of a **Gau**
die **Gauleitung, -en** administration or government of a **Gau**
die **Gebärde, -n** expression, feature, gesture
geben, a, e give; **es gibt** there is
das **Gebet, -e** prayer
das **Gebiet, -e** domain, field
der **Geburtstag, -e** birthday
der **Gedanke, -n** thought
gedeihen, ie, ie thrive, prosper, grow, progress
gedenken, a, a intend
die **Geduld** patience
die **Gefahr, -en** danger
gefährden endanger
die **Gefährdung, -en** peril
gefährlich dangerous
gefallen, ie, a please; **es gefällt mir** I like it
gefälligst kindly
der **Gefangene, -n** prisoner
das **Gefängnis, -se** prison
das **Gefühl, -e** feeling
gegen against, toward
gegenseitig mutual
das **Gegenteil, -e** opposite; **im Gegenteil** on the contrary
die **Gegenwart** present
gegenwärtig present
gegenüber opposite
der **Gegner, —** opponent
die **Gegnerschaft** opposition
geheim secret
das **Geheimnis, -se** secret
geheimnisvoll mysterious
gehen, i, a go, walk; **es geht uns um** we are concerned with
gehören belong
der **Geist, -er** spirit, intellect
die **Geistesgegenwart** presence of mind
geistesgegenwärtig with presence of mind
geisteskrank insane
geistig spiritual, intellectual

der **Geistliche, –n** priest, clergyman
gelangen reach, get to, attain
gelassen calm, composed
die **Gelassenheit** composure
gelb yellow
das **Geld, –er** money
die **Gelegenheit** opportunity, occasion
der **Gelehrte, –n** scholar
gelingen, a, u succeed; **es gelingt mir** I succeed
gelten, a, o count, be important
gemein common, general; vulgar, disgraceful
gemeinsam joint, common, in common
die **Gemeinschaft –en** community, fellowship, harmony
das **Gemisch –e** mixture
das **Gemüt, –er** feeling, soul
genau exact, just
genießen, o, o enjoy
genug enough
genügen suffice
genugsam sufficiently
die **Genugtuung** satisfaction
das **Gepäck** baggage
gerade straight; just
geradezu downright, positively
geraten, ie, a get into
gerecht just, fair
die **Gerechtigkeit** justice
das **Gericht, –e** court, judgment
gering small, little, slight
gern(e) gladly; **gern haben** like; **gern tun** like to do
der **Geruch, –̈e** smell, odor
das **Gerücht, –e** rumor
gesamt entire, whole
der **Gesang, –̈e** song
das **Geschäft, –e** business
geschehen, a, e happen
das **Geschenk, –e** gift, present
die **Geschichte, –n** story, history, affair
der **Geschmack, –̈er** taste
die **Geschwindigkeit, –en** speed
die **Geschwister** brothers and sisters

die **Gesellschaft, –en** society, company
das **Gesetz, –e** law
der **Gesetzgeber, —** lawmaker
die **Gesetzlichkeit** lawfulness, legality
gesetzmäßig according to law
das **Gesicht, –er** face
die **Gesinnung, –en** disposition, way of thinking
das **Gespräch, –e** conversation
die **Gestalt, –en** figure, form
gestalten form
die **Gestaltung** forming
das **Geständnis, –se** confession
die **Gestapo = geheime Staatspolizei** Nazi secret police
gestehen, a, a admit, confess
gestern yesterday
gestrig of yesterday
gesund healthy, sound
sich **getrauen** dare, venture
die **Gewalt, –en** power, force
der **Gewalthaber, —** one in power
die **Gewaltherrschaft** tyranny
gewaltig powerful, mighty
gewaltsam forcible
gewillt willing
gewinnen, a, o win, gain
gewiß certain
das **Gewissen, —** conscience
gewissenlos unscrupulous
das **Gewitter, —** thunderstorm
gewöhnlich usual
gewohnt accustomed to, customary
der **Glanz** luster, brilliance
glänzen shine, gleam
glatt smooth
der **Glaube** faith
glauben believe
gläubig full of faith
gleich like, same, equal; immediately, right away
gleichen, i, i resemble
gleichgültig indifferent
die **Gleichgültigkeit** indifference
gleichmäßig even
gleichsam so to speak, as it were

gleich-stellen put on a level with

glimmen, o, o glimmer

die **Glocke, –n** bell

das **Glück** happiness, luck

glücken succeed; **der glückt alles** she succeeds in everything

glücklich happy, fortunate

glühen glow

gnadenlos merciless

der **Gott, ⸚er** God

der **Graf, –en** count

grau gray

das **Grauen** horror

grauenhaft horrible

grauenvoll full of horror, ghastly

greifen, i, i grasp, seize

der **Greis, –e** old man

die **Grenze, –n** boundary; border-line

grenzen border on

grenzenlos boundless

grimmig bitter

grob rude

groß big, large

großartig grand, splendid

die **Größe, –n** greatness, size

der **Grund, ⸚e** reason, basis, ground

gründen found

die **Grundlage, –n** basis

grundlegend fundamental

gründlich thorough

der **Grundsatz, ⸚e** principle

grundsätzlich on principle

der **Grundstein, –e** cornerstone

der **Gruß, ⸚e** greeting

grüßen greet

die **Gunst, ⸚e** favor; **zu Gunsten** in favor of

gut good, well; **zum Guten wenden** take a turn for the better, turn out well

das **Gut, ⸚er** possession

gütig kind

gut-machen make up for

H

das **Haar, –e** hair

die **Haft** custody, confinement

der **Häftling, –e** prisoner

halb half

der **Hals, ⸚e** neck

halsbrecherisch break-neck

halten, ie, a hold, stop, keep; **an sich halten** restrain oneself

die **Haltung** conduct

handeln act, do; **handeln über** treat of; **es handelt sich um** it is a question of

die **Handlung, –en** action

harren wait

der **Haß** hatred

der **Hauch** breath

der **Haufen, —** heap, crowd

sich häufen increase

häufig frequent

das **Haupt, ⸚er** head, chief

der **Hauptbeteiligte, –n** chief accomplice

das **Hauptgebäude, —** main building

der **Haushalt** housekeeping, household

der **Hausmeister, —** janitor

die **Haut, ⸚e** skin

heben, o, o lift, raise

das **Heft, –e** notebook

heftig violent

das **Heil** salvation, welfare

die **Heilanstalt, –en** sanatorium

heilen cure

heilig holy, sacred

das **Heim, –e** home

heim home

die **Heimat** home (country or town)

heimlich secret

das **Heimweh** homesickness

heiß hot

heißen, ie, ei be called; **das heißt** that is

heiter serene, cheerful

die **Heiterkeit** serenity, cheerfulness

der **Held, –en** hero

das **Heldentum** heroism

helfen, a, o help

hell bright, light

her to here; along; ago

heran-ziehen, o, o bring up

herauf up
heraus out
herbeiführen cause, bring about
der Herbst, –e autumn
die Herde, –n herd
hernach afterwards
die Herrenschicht, –en ruling class
herrlich splendid, wonderful
die Herrschaft, –en rule
herrschen rule, prevail
der Herrscher ruler
her-stellen produce
herüber over, across
herum around
das Herz, –en heart
herzlich sincere, cordial
hetzen drive, harass
heutzutage nowadays
der Himmel, — heaven, sky
hin (to) there; gone, away
hinab down, away
hinaus out
hinaus-schlüpfen slip out
hindurch through
hinein into, inside
hinein-geraten, e, a get into
die Hingabe devotion
hin-nehmen, a, o accept
hin-reißen, i, i carry away
hin-richten execute
die Hinrichtung, –en execution
hinter behind
der Hintergrund, ⸚e background
hinunter down
hin-weisen, ie, ie point out
hinzu to, in addition; (to) there
hinzu-fügen add
sich hinzu-gesellen join
die Hitlerjugend name of the Nazi organization for young boys
hoch high
die Hochschule, –n university, technical school of university rank
höchstens at most
der Hochverrat high treason
hoffen hope
die Hoffnung, –en hope

der Höhepunkt, –e climax, high point
holen go and get, bring
die Hölle hell
hörbar audible
hören hear
der Hut, ⸚e hat
hüten guard

I

ihresgleichen the likes of them, their equal
immer always
imponieren impress
in in, into
indes, indessen in the meantime
der Inhalt contents
die Insel, –n island
inszenieren stage
das Inventar household goods
inzwischen meanwhile
irdisch earthly
irgend some . . . or other
irgendwo somewhere
irren stray

J

ja yes; you know, truly; indeed
jagen chase, drive
das Jahr, –e year
das Jahrhundert, –e century
je ever
je . . . umso the . . . the
jedenfalls in any case
jeder each, every
jedoch however, yet
jeglich each and every
jener that
jetzt now
jubeln rejoice
der Jude, –n Jew
jüdisch Jewish
die Jugend youth, young people
jung young
der Junge, –n boy

K

kalt cold
die Kälte cold, coldness
der Kampf, ⸚e fight, battle, struggle

kämpfen fight, struggle
der Kämpfer, — fighter
die Kapelle, –n chapel
das Kapitel, — chapter
die Kaserne, –n barracks
kaum hardly, scarcely
der Keim, –e germ, (seed-)bud
keineswegs by no means
der Keller, — cellar
kennen, a, a know; kennen
    lernen get acquainted with
der Kerker, — jail, prison
der Kerl, –e fellow
der Kern, –e kernel, pith
die Kerze, –n candle
die Kette, –n chain
das Kind, –er child
die Kinderfrau, –en nursemaid
das Kino, –s movie theatre, movies
der Klang, ⁁e sound
klar clear
das Kleid, –er dress, clothing
kleiden dress
klein small
die Kleinigkeit, –en trifle
klingeln ring
klingen, a, u sound
klopfen knock, pound
klug intelligent, smart
die Klugheit intelligence
knieen kneel
der Koffer, — trunk, traveling bag
die Kolonne, –n column
komponieren compose
der König, –e king
das Königtum, ⁁er royalty, king-
    dom
können, o, o be able
das Konzentrationslager, —
    concentration camp
der Kopf, ⁁e head; auf den Kopf
    stellen turn topsy-turvy
das Kornfeld, –er grain field
der Körper, — body
korrumpieren corrupt
kostbar precious
die Kraft, ⁁e strength, power
krank sick
das Krankenhaus, ⁁er hospital
die Krankheit, –en illness
kreidebleich white as chalk
der Kreis, –e circle

kreisen circle
das Kreuz, –e cross
kriechen, o, o crawl, creep
der Krieg, –e war
kriegen get
der Krieger, — warrior
der Krüppel, — cripple
der Kuchen, — cake
kühn bold
die Kühnheit boldness
der Kummer grief, anxiety, sor-
    row
künftig future, in the future
die Kunst, ⁁e art
der Künstler, — artist
kurz short, brief
kürzlich recently

L

lächeln smile
lachen laugh
laden, u, a load
die Lage, –n situation, position
das Lager, — camp
lang long
lange a long time; noch lange
    nicht not by far
langsam slow
längst long since
die Last, –en burden, load
lasten weigh
der Lastwagen, — truck
lauern lie in wait
laufen, ie, au run, walk
lauten sound, read or run (of
    a printed passage)
lautlos noiseless
leben live
das Leben, — life; am Leben
    alive, living
lebendig alive, lively
die Lebensbejahung affirmation
    of life
leer empty
die Leere emptiness
leeren empty
legen lay; sich legen lie down
die Lehre, –n teaching, doctrine
der Lehrer, — teacher
der Leib, –er body
die Leiche, –n corpse
leicht light, easy, slight

leichtsinnig reckless, careless
das Leid, –en sorrow
leiden, i, i suffer, endure
leidenschaftlich passionate, intense, ardent
leise soft, slight
leisten perform, accomplish, carry out
leiten lead, direct
lenken direct
lesen, a, e read
der Leser, — reader
letzt last
leuchten give light, shine
leugnen deny
die Leute people
das Licht, –er light
lieb dear; lieb haben be fond of, love
die Liebe love
lieben love
lieber rather
der Liebling, –e favorite
das Lied, –er song
der Liederschatz, ‟e collection of songs
liegen, a, e lie; liegen an matter
loben praise
das Loch, ‟er hole
locken lure, entice
lodern flame up
der Lohn, ‟e reward
lohnen be worth-while, reward
das Los, –e lot
lösen detach; solve
los-lösen sever, detach
die Luft, ‟e air
die Lüge, –n lie
lügen lie
die Lust, ‟e joy, pleasure, desire
lustig gay

M

machen do, make; es macht nichts aus it doesn't matter
die Macht, ‟e power, force, might
das Mädchen, — girl
das Mädel, — girl
mahnen admonish
die Mahnung, –en admonition
das Mal, –e time; zum ersten Mal for the first time

malen paint
der Maler, — painter
die Malerei, –en painting
man one, people, they
manch many a, some
manchmal sometimes
das Märchen, — fairy tale
die Margerite, –n marguerite
marschieren march
das Maß, –e measure, bounds
die Masse, –n mass
die Maßregel, –n expedient
die Mauer, –n wall
das Meer, –e ocean, sea
die Mehrzahl majority
meinen mean, remark, believe, think
die Meinung, –en opinion
die Menge, –n crowd, masses
der Mensch, –en person, human being, man
die Menschheit humanity
menschlich human
merken notice, observe
merkwürdig strange, curious, noteworthy
messen, a, e measure
minder less
mindestens at least
das Minenfeld, –er mine field
die Mißgeburt, –en monster
mißbrauchen misuse, abuse
mißhandeln mistreat
mit with
mit-arbeiten collaborate
der Mitgefangene, –n fellow-prisoner
das Mitglied, –er member
das Mitleid pity
mit-leiden, i, i suffer with
mit-machen participate
der Mitmensch, –en fellow human being
mit-nehmen, a, o take along
mit-reißen, i, i carry away
die Mitschuld complicity, participation in guilt
mittags at noon
das Mittel, — means
der Mittelpunkt, –e center
mittels by means of
mitten in in the middle of

mittlerweile meanwhile
mit-tragen, u, a help to bear
mit-vollziehen, o, o help to carry out
mit-wissen, u, u share in knowledge
mögen, o, o like, may
möglich possible; möglichst so far as possible, if possible
die Möglichkeit, –en possibility
der Monat, –e month
das Moos, –e moss
der Mord, –e murder
der Morgen, — morning
morgen tomorrow; morgen früh tomorrow morning; das Morgen the morrow
die Morgenfrühe early morning
müde tired
die Müdigkeit weariness, tiredness
mühsam laborious, painstaking
der Mund, ⁻er mouth
mündlich oral
das Münster cathedral
munter lively, cheerful
die Muße leisure
das Muster, — model, pattern
der Mut courage; frame of mind; zu Mute sein feel
mutig courageous

N

nach after; to, toward; according to
nach-ahmen imitate
der Nachbar, –n neighbor
nachdem after (conj.)
nach-denken, a, a meditate, ponder, think
nach-geben, a, e yield, give in
nach-gehen, i, a pursue, seek
nachher afterwards
nach-lassen, ie, a subside
die Nachricht, –en news
nach-sehen, a, e inspect
die Nacht, ⁻e night; Nacht für Nacht night after night
der Nachteil, –e disadvantage
nächtlich nocturnal
nackt naked

nahe near
die Nähe vicinity; in der Nähe near
naheliegend near at hand
nähen sew
sich nähern approach
nämlich that is, for
natürlich natural, of course
der Nebel, — fog, mist
neben beside, next to
nebensächlich secondary, subordinate
neigen incline
nennen, a, a call, name
der Nervenzusammenbruch, ⁻e nervous breakdown
neu new
die Neugier curiosity
nichts nothing
nicken nod
nie never
nieder down
niedergeschlagen depressed
die Niederlage, –n defeat
niemals never
niemand nobody
nimmermehr nevermore
nirgends nowhere
nirgendwo nowhere
noch still; noch dazu besides
der Norden north
(das) Norwegen Norway
die Not, ⁻e need, necessity, distress; zur Not if need be, in case of need
nötig necessary; nötig haben need, require
nötigen force
der Notleidende, –n needy person
notwendig necessary
die Notwendigkeit, –en necessity
nun now
nur only
die Nuß, ⁻e nut
nützen be of use, make use of

O

ob whether, if
oben above, on top; nach oben to the surface
ober upper

obgleich although
das Obst fruit
die Obstwiese, –n orchard
obwohl although
öde dull, deserted
der Ofen, ⸗ stove, oven
offen open
offenkundig obvious
öffentlich public
öffnen open
ohne without
ohnehin aside from that, anyway
die Ohnmacht powerlessness, weakness
ohnmächtig powerless, in a faint
das Ohr, –en ear
das Opfer, — sacrifice
opfern sacrifice
das Ordenshaus, ⸗er convent
die Ordnung, –en order
die Orgel, –n organ
der Ort, –e place
der Osten east

P

ein paar a few
die Partei, –en party
passieren happen; pass
der Pfarrer, — priest, clergyman
das Pferd, –e horse
die Pflanze, –n plant
die Pflegeanstalt, –en sanatorium
pflegen be in the habit of; take care of, nurse
die Pflicht, –en duty
pflücken pluck, pick
die Pforte, –n gate
die Phantasie imagination
das Plakat, –e placard
planmäßig systematic, according to plan
der Platz, ⸗e place
plötzlich sudden
die Politik policy, politics
polnisch Polish
die Postkutsche, –n mail coach
prachtvoll splendid
präzis precise
predigen preach

die Predigt, –en sermon
preis-geben, a, e abandon, give up
die Presse, –n press
preußisch Prussian
die Probe, –n test
probieren try, test
der Prozeß, –e process; trial; kurzen Prozeß machen make quick work of
prüfen examine, probe

Q

quälen torture, torment
qualvoll agonizing

R

die Rache revenge
rächen avenge
das Rad, ⸗er wheel, bicycle
der Rand, ⸗er edge, margin
der Rang, ⸗e rank
rasch quick, speedy
rasen race, rush
rasseln rattle
rassisch racial
rasten rest
raten, ie, a advise
ratsam advisable
rauben rob
rauchen smoke
rauf = herauf
rauh rough
der Raum, ⸗e room, space
raus = heraus
rechnen calculate, count; rechnen mit count on
das Recht, –e right, justice
recht right; very
rechtfertigen justify
die Rechtfertigung justification
rechtzeitig in good time, on time
die Rede, –n speech
reden speak
redlich honest, sincere
regelmäßig regular
regen move; sich regen move, stir
der Regen rain
regieren rule, prevail
die Regierung, –en government
reiben, ie, ie rub

reichen reach, pass, hand to
reichhaltig abundant
der **Reichtum,** ⁻er wealth
reif mature, ripe
die **Reife** maturity
reifen ripen, mature
die **Reihe, –n** row, line
rein clean, pure
reinigen clean, purify
reisefertig ready to start
der **Reisekoffer,** — traveling bag
reißen, i, i tear
reiten, i, i ride
reizend charming
rennen, a, a race, run
der **Rest, –e** remnant, rest
retten save, rescue
die **Rettung** salvation, rescue
richten direct; judge
der **Richter,** — judge
richterlich judicial
richtig correct, right
riechen, o, o smell
riesig huge, enormous
ringen, a, u struggle
rings um round about
rinnen, a, o flow
der **Riß, –e** tear, crack
rot red
der **Rücken,** — back
rücken move, draw
die **Rückkehr** return
rücksichtslos inconsiderate,
merciless
der **Rückweg, –e** way back
das **Ruder,** — rudder
rufen, ie, u cry, call
die **Ruhe** rest
ruhen rest
ruhig quiet, peaceful
der **Ruhm** fame
rühren touch, move, stir
rumpeln jolt, rumble
(das) **Rußland** Russia

S

die **SA** *abbrev. for* **Sturmabtei-
lung** Storm Troopers, Hit-
ler's private army, organized
to help him get into power
and later expanded to help
maintain his power

der **Saal,** ⁻e hall
die **Saat, –en** growing crop
der **Sachbearbeiter,** — inquiry
counsel
die **Sache, –n** thing, cause, matter
sachlich objective
der **Sack,** ⁻e sack; **mit Sack und
Pack** with all one's belongings
sagen say
sammeln gather, collect
die **Sammlung, –en** gathering,
collection
samt together with
sanft gentle
der **Satz,** ⁻e sentence; leap
sauber clean, neat
saugen, o, o suck
der **Schaden,** ⁻ harm, damage, in-
jury
schädlich harmful
schaffen, u, a create
schaffen provide, work, accomplish; **sie wird ihre
Sache schaffen** she'll get
along all right; **aus der Welt
schaffen** remove
schal flat, unsavory
sich schämen be ashamed
schänden disgrace
schändlich shameful, dis-
graceful
die **Schar, –en** crowd, group
der **Schatten,** — shadow, shade
der **Schatz,** ⁻e treasure
die **Schau** view
schauen look
das **Schauspiel, –e** spectacle
scheinbar seeming, apparent
scheinen, ie, ie shine, seem
schenken give, present
scheußlich hideous, horrible
die **Scheußlichkeit, –en** horrible deed
die **Schicht, –en** layer, stratum
schicken send
das **Schicksal** fate
das **Schiff, –e** ship
die **Schlacht, –en** battle
der **Schlaf** sleep
schlafen, ie, a sleep

der **Schlag**, ⁓e blow, stroke
schlagen, u, a beat, strike, hit, knock
schlecht bad, poor
schleichen, i, i sneak, creep
der **Schleier,** — veil
schleppen drag, tug
schlicht simple
schließen, o, o lock, close, shut
schließlich finally, after all, in the end
die **Schließung, –en** closing
schlimm bad, evil
der **Schluß,** ⁓e end, conclusion; **zum Schluß** at the end
der **Schlüssel,** — key
die **Schmach** shame, ignominy
schmal narrow, thin, slender
der **Schmerz, –en** pain, grief
schmerzlich painful
der **Schmutz** dirt, filth
schneiden, i, i cut
schnell quick, fast
die **Schnelligkeit** speed
schon already
schön beautiful, fine, nice
schonen spare
die **Schöpfung, –en** creation
der **Schreck(en)** terror, horror, fright
schrecken frighten
schrecklich terrible
der **Schrei, –e** cry, scream
schreiben, ie, ie write
schreien, ie, ie cry, scream, shout
die **Schrift, –en** writing, Scriptures
schriftlich in writing
der **Schriftsteller,** — writer
das **Schrifttum** literature
der **Schritt, –e** step
schrittweise step by step
schroff harsh
die **Schuld, –en** debt, guilt, fault; **schuld sein** be to blame
schuldig guilty, indebted
die **Schule, –n** school
die **Schulter, –n** shoulder
schütteln shake
schützen protect

der **Schützling,** —e protégé, charge
schutzlos defenceless
schwach weak
schwächen weaken
schweigen, ie, ie be silent
schweigsam silent, taciturn
die **Schweiz** Switzerland
schwellen, o, o swell
schwer heavy, difficult, hard; **schwer fallen** be difficult
das **Schwert, –er** sword
die **Schwester, –n** sister
schwierig difficult
die **Schwierigkeit, –en** difficulty
schwingen, a, u swing
die **Seele, –n** soul
sehnen long
die **Sehnsucht,** ⁓e longing
seit since
seitdem since (*conj.*), since then
die **Seite, –n** side
seither since then, thus far
selber self
selbst self; even
die **Selbständigkeit** independence
die **Selbstbestimmung** self-determination
der **Selbstmord, –e** suicide
selbstverständlich of course, self-evident
selig blissful, blessed, happy
selten rare, seldom
seltsam strange
setzen set; **sich setzen** sit down
sicher sure, certain, safe
die **Sicherheit** safety, assurance
sicherlich surely, certainly
sichern assure, make safe
der **Sieg, –e** victory
der **Sinn, –e** sense, mind
sinnen, a, o reflect, plan
sinnlos senseless
sittlich ethical, moral
die **Sittlichkeit** morality
sitzen, a, e sit
der **Sklave, –n** slave
sofort at once
sogar even

der **Sohn,** "e son
solch such
der **Soldat,** –en soldier
sollen be supposed to, shall, ought
sondern but
die **Sonder-Such-Aktion** special investigating operation
die **Sonne,** –n sun
sonst otherwise, usually, formerly
die **Sorge,** –n worry, care
sorgen worry, take care
die **Sorgfalt** care, solicitude
sorgfältig careful
sorgsam careful
die **Spannung,** –en tension
der **Spaß,** "e joke
spät late
der **Spaziergang,** "e walk, stroll
das **Spiel,** –e game; **Spiele machen** play games; **aufs Spiel setzen** risk
spielen play
die **Spitze,** –n point, peak, head, tip
der **Spott** mockery, derision
spotten mock, scoff
die **Sprache,** –n language
sprechen, a, o speak, talk
der **Sprung,** "e leap
die **Spur,** –en trace, track
spüren feel, sense
die **SS = Schutzstaffel** guard echelon; a black-uniformed elite corp originally organized as Hitler's personal bodyguard but later greatly expanded and used for other purposes also. They were regarded as the most fanatic among the Nazis.
der **Staat,** –en state
das **Staatswesen,** — political organism
die **Stadt,** "e city
der **Stamm,** "e stem, tree trunk
stand-halten, ie, a hold one's ground
ständig constant
stark strong
die **Stärke** strength

stärken strengthen
starren stare
statt instead of
statt-finden, a, u take place
statuieren set
der **Staub** dust
stecken stick, put, be located
die **Stecknadel,** –n pin
stehen, a, a stand
steigen, ie, ie climb, rise
steil steep
der **Stein,** –e stone, rock
die **Stelle,** –n place, spot
stellen place, set; **sich stellen** take a position
der **Stern,** –e star
stet constant
stetig steady
stets always
der **Stich: im Stich lassen** leave in the lurch
der **Stil,** –e style
die **Stille** stillness, silence
die **Stimme,** –n voice
die **Stimmung,** –en mood, atmosphere
der **Stock,** "e floor, story
stolz proud
stören disturb, trouble
der **Stoß,** "e blow, shock
stoßen, ie, o push, thrust
die **Strafe,** –n punishment
der **Strahl,** –en beam, ray
strahlen shine, radiate
die **Straße,** –n street
die **Straßenbahn,** –en streetcar
streben strive
streng stern, strict
streuen strew, scatter
die **„Streutour"** scattering tour
der **Strich,** –e line
der **Strom,** "e stream
strömen stream
das **Stück,** –e piece, bit, object; **Stück um Stück** piece by piece
das **Studium** university study
stumm mute, silent
stumpf dull, indifferent
die **Stunde,** –n hour; **Stunde um Stunde** hour after hour
stundenlang for hours

der **Sturz** downfall
stürzen fall, plunge
suchen look for, seek
(das) **Süddeutschland** south Germany
süß sweet
die **Süßigkeit, –en** sweetness, sweet

T

der **Tag, –e** day
das **Tagebuch, ⁀er** diary
tagelang for days
tagen be in session
täglich daily
die **Tanne, –n** fir tree
die **Tante, –n** aunt
tapfer brave
die **Tasche, –n** pocket
die **Tat, –en** deed, act
tätig active
die **Tätigkeit, –en** activity, action
tatkräftig energetic
die **Tatsache, –n** fact, reality
tatsächlich actual
täuschen deceive; **sich täuschen** be mistaken
der **Tee** tea
der **Teil, –e** part
teilen share, divide
die **Teilnahme** interest, sympathy
teuer expensive, dear
teuflisch devilish
der **Theologe, –n** theologian
tief deep, profound, low
das **Tier, –e** animal
der **Tisch, –e** table
die **Tischdecke, –n** table cloth
der **Tod, –e** death
die **Todesstrafe, –n** capital punishment; **bei Todesstrafe** on pain of death
tödlich fatal, death-like
toll mad, crazy
tot dead
töten kill
tragen, u, a carry, bear; wear
die **Trägheit** laziness, indolence
die **Träne, –n** tear
trauen trust; **sich trauen** venture

die **Trauer** grief
der **Traum, ⁀e** dream
träumen dream
traurig sad
die **Traurigkeit** sadness
treffen, a, o meet; hit, strike
treiben, ie, ie drive, be doing, drift
trennen separate
die **Treppe, –n** stairs
treten, a, e step, walk
treu faithful, loyal
die **Treue** faithfulness, loyalty
der **Trieb, –e** instinct
trocknen dry
der **Trost** comfort, consolation
trösten comfort, console
trostlos cheerless, dismal, disconsolate
trotz in spite of
der **Trotz** defiance; **zum Trotz** in defiance of
trotzdem although, nevertheless
trügerisch deceptive, deceitful
die **Trümmer, –n** ruins
das **Tuch, ⁀er** cloth
die **Tugend, –en** virtue
tun, a, a do, act
das **Tun** action
die **Tür, –en** door

U

übel evil
über over, across; about
überall everywhere
der **Überblick, –e** broad view
überblicken survey
überbringen, a, a deliver
überfallen, ie, a fall upon, attack
der **Überfluß, ⁀e** superfluity, superabundance
überhaupt at all, on the whole, aside from it all
überlassen, ie, a leave
überlegen think over
überlegen superior
die **Überlegung –en** consideration
übermenschlich superhuman

der **Übermut** high spirits, arrogance
übermütig high-spirited, arrogant
überraschen surprise
die **Überraschung, –en** surprise
überschatten overshadow
überschreiten, i, i exceed
der **Überschuß, ⸚e** surplus, excess
überstehen, a, a get over, survive
übertragen, u, a assign
übertreffen, a, o exceed
überwachen watch over
überwältigen overwhelm
überzeugen convince
die **Überzeugung, –en** conviction
üblich customary
übrig left, remaining, other; **übrig-bleiben, ie, ie** remain, be left
übrigens for the rest
die **Uhr, –en** clock, watch
um around, about, at; for
umfassen embrace
umgehen, i, a avoid, get around
umgekehrt on the contrary, the other way round
umher about, around
die **Umkehr** turning back
um-kehren turn back
umso : je ... umso the ... the
der **Umstand, ⸚e** circumstance
der **Umsturz** overthrow
der **Umweg, –e** roundabout way, detour
um ... willen for the sake of
unabhängig independent
unablässig ceaselessly
unabsehbar unpredictable
die **Unannehmlichkeit, –en** unpleasantness
unaufhaltsam irresistible
unaufhörlich ceaseless
unbedingt unconditionally, undoubtedly
unbegreiflich incomprehensible
unbekümmert untroubled
die **Unbekümmertheit** lightness of spirit

unbeschreiblich indescribable
unbeschrieben blank, not written on
undurchdringlich impenetrable
undurchsichtig obscure
unerbittlich relentless, without mercy
unerhört unheard of, outrageous
unermüdlich tireless
unerreichbar unattainable
unersättlich insatiable
unerschütterlich unshakeable
unfaßlich incomprehensible
ungebunden unfettered, free
ungefähr approximately, about
ungeheuer enormous, huge, monstrous
die **Ungerechtigkeit** injustice
unglaublich incredible
das **Unheil** misfortune, catastrophe
unheilbar incurable
unheimlich uncanny, sinister
die **Unmenschlichkeit** inhuman treatment
das **Unrecht** injustice, wrong
die **Unruhe** restlessness
unsäglich unspeakable
der **Unsinn** nonsense
unten below
unter under, beneath
unterbrechen, a, o interrupt
unterdessen meanwhile
unterdrücken suppress, oppress
die **Unterdrückung** suppression, oppression
der **Untergang** downfall, destruction
unter-gehen, i, a perish, set
untergraben, u, a undermine
die **Untergrabung** undermining
unterhalten, ie, a entertain; **sich unterhalten** converse
die **Unterkunft, ⸚e** shelter
unterlegen subject to, inferior

unterliegen, a, e succumb
das Untermenschentum sub-
humans
unternehmen, a, o undertake
das Unternehmen, — business
enterprise
unter-ordnen subordinate
unterrichten inform, instruct
unterstellt subordinate to
unterstützen support
der Untertan, –en subject
unvergeßlich unforgettable
unvergleichlich incomparable
unverhofft unexpected
unvermittelt sudden, without transition
unverständlich incomprehensible
unverzeihlich unforgivable
unvorsichtigerweise incau-
tiously
unwahrhaftig untruthful
unzählig countless
unzerstörbar indestructible
uralt ancient
der Urlaub, –e furlough, vacation
das Urteil, –e judgment, sentence
urteilen judge, pass judgment,
pronounce sentence
usw. (*abbrev. for* und so
weiter) etc.

V

der Vater, ⸗ father
das Vaterunser Lord's Prayer
sich verabschieden take
leave, say good-bye
verächtlich contemptible,
contemptuous
verändern change
die Veränderung, –en change
verantwortlich responsible
die Verantwortung, –en responsibility
verantwortungslos irrespon-
sible
verbannen banish
verbergen, a, o conceal, hide
verbieten, o, o forbid
verbinden, a, u connect, join,
unite

die Verbindung, –en union, com-
bination, connection
verbluten bleed to death
das Verbot, –e prohibition
das Verbrechen, — crime
der Verbrecher, — criminal
verbrecherisch criminal
das Verbrechertum crime, gang
of criminals
verbreiten (sich) spread, cir-
culate
die Verbreitung spreading, circu-
lation, distribution
verbrennen, a, a burn, burn
up
verbringen, a, a spend, pass
der Verdacht suspicion
verdecken cover up
verderben, a, o ruin, spoil
das Verderben ruin, destruction
verdienen deserve, earn
das Verdienst, –e merit
verdrängen drive out, displace
verdunkeln darken, becloud
die Verdunklung darkening, be-
clouding
die Verehrung respect, admiration
der Verein, –e club, alliance
vereinsamt isolated, alone
verfallen, ie, a fall, slip
verfassen compose
die Verfassung, –en constitution,
state of mind
verfaulen rot
verfehlen miss
verfeinden set against
verfolgen pursue, persecute
die Verfügung: zur Verfügung
stehen (stellen) be (put)
at the disposal of
der Verführer seducer
vergebens in vain
vergehen, i, a pass (away)
vergessen, a, e forget
vergewaltigen do violence to,
violate
die Vergewaltigung violence, violation
vergnügt gay, cheerful
verhaften arrest
die Verhaftung, –en arrest

sich **verhalten,** ie, a behave, conduct oneself

das **Verhalten** attitude, behavior, conduct

die **Verhandlung,** –en trial

verheiratet married

verhelfen, a, o help to get

verhindern hinder

das **Verhör,** –e hearing, cross-examination

verhören question, cross-examine

verhungern starve

sich **verirren** go astray

verjagen drive away

verkehren come and go; sich **verkehren** be transformed

verkünden announce

verlangen demand, desire, ask for

verlängern lengthen, extend, draw out

verlassen, ie, a leave, forsake

verlegen transfer

verletzen injure, harm

verlocken entice

die **Verlockung,** –en enticement, temptation

der **Verlust,** –e loss

vermögen be able, be capable

das **Vermögen,** — wealth, property

die **Vernehmung,** –en cross-examination

die **Verneigung,** –en bow

vernichten destroy

die **Vernunft** reason, understanding, common sense

vernünftig sensible

verpflegen provide for

die **Verpflichtung,** –en obligation

verraten, ie, a betray, reveal

verrinnen, a, o elapse, run by

versammeln gather, collect

die **Versammlung,** –en gathering

verschieden different, various

verschleiern veil

verschleppen carry off

verschließen, o, o shut, close, lock

verschwenden waste, squander

verschwiegen reserved, taciturn

verschwinden, a, u disappear

versehen, a, e provide

versichern assure

die **Versklavung** enslavement

das **Versprechen,** — promise

die **Versprechung,** –en promise

der **Verstand** mind, understanding

das **Verständnis** understanding

verstecken hide

verstehen, a, a understand

verstorben deceased

verstreuen scatter

der **Versuch,** –e attempt

versuchen try, attempt

verteidigen defend

verteilen distribute

vertiefen (sich) deepen

sich **vertragen,** u, a get along with

das **Vertrauen** trust, confidence

vertraut familiar, intimate

vertreiben, ie, ie drive away

verursachen cause

verurteilen convict

die **Verurteilung,** –en conviction

vervielfältigen mimeograph

der **Vervielfältigungsapparat,** –e mimeograph machine

die **Verwaltung,** –en administration

die **Verwandtschaft,** –en relation, relationship

die **Verwirklichung** realization

die **Verwirrung** confusion

verwunden wound

verwünschen curse

die **Verwüstung,** –en devastation

verzagt despondent

verzweifeln despair

die **Verzweiflung** despair

das **Vieh** cattle

viel much, many

vielerlei all kinds of

vielleicht maybe, perhaps

vielmehr on the contrary, rather

der **Vogel,** ⁔ bird

das **Volk,** ⁔er people, nation, folk

völkisch national, of the people

der **Volksgerichtshof** people's court: courts established by the Nazis for the trial of persons accused of political "crimes"; so called because they ostensibly expressed the will of the people
voll full
voller full of
vollkommen perfect
vollziehen, o, o carry out
von from; of; about
vor before, in front of
der **Vorabend** evening before, eve
voran ahead
voraus ahead, in advance
vor-aus-gehen, i, a precede
vorbei past
vor-bereiten prepare
die **Vorbereitung,** –en preparation
das **Vorbild,** –er example
vor-bringen, a, a present
vor-dringen, a, u press forward
vor-gehen, i, a take place
vor-halten, ie, a reproach with
vorhanden present, on hand
vor-kommen, a, o seem, occur
vorläufig for the time being, temporary
vor-lesen, a, e read aloud, lecture
die **Vorlesung,** –en lecture
der **Vormittag,** –e forenoon
vorne in front
vornehm aristocratic
vor-nehmen, a, o undertake, carry out
der **Vorort,** –e suburb
vor-schreiben, ie, ie prescribe
vorsichtig careful, cautious
vorteilhaft advantageous
vor-stellen (sich) imagine
der **Vortrag,** ⁀e lecture
vorüber past, over, along, by
vorübergehend temporary
vorwärts forward
der **Vorwurf,** ⁀e reproach

W

wachsen, u, a grow
die **Waffe,** –n weapon
der **Wagen,** — automobile, railway carriage
wagen dare, venture, risk
das **Wagnis,** –se risk, hazard, chance
wahnsinnig insane, crazy
wahr true
während during, while
wahrhaft true, truthful
die **Wahrheit,** –en truth
wahrscheinlich probable
der **Wald,** ⁀er forest, woods
die **Wand,** ⁀e wall
wann when
warten wait
warum why
was what; **was für** what kind of
die **Wäsche** clothes, linens
das **Wasser,** — water
wechseln change, exchange
wecken awaken, rouse
weder . . . noch neither . . . nor
der **Weg,** –e way; **sich auf den Weg machen** start out
weg away
wegen on account of
wehe woe; **wehe tun** hurt
wehen blow, wave
die **Wehrkraft,** ⁀e defensive force or power
wehren defend
wehrlos defenceless
die **Wehrmacht** German army
weiblich female, feminine
weichen, i, i withdraw, yield, give way
weihen dedicate, consecrate
weil because
die **Weil(e),** while
der **Wein,** –e wine
der **Weinberg,** –e vineyard
die **Weinstube,** –n wine restaurant
die **Weise,** –n way, manner
weisen, ie, ie point
die **Weisheit** wisdom
weiß white

weit far, wide

die **Weite, –n** width, extent, distance

weiter farther, on

welch which, what

die **Welle, –n** wave

die **Welt, –en** world

die **Weltabgeschiedenheit** seclusion

die **Weltanschauung, –en** philosophy of life

wenden, a, a turn; **zum Guten wenden** take a turn for the better

wenig little

wenigstens at least

wenn when

werden, u, o become, get

werfen, a, o throw, cast

das **Werk, –e** work; factory

der **Wert, –e** worth, value

das **Wesen, —** being, nature, creature

wichtig important

wider against, opposed to

widersprechen, a, o contradict

der **Widerstand, ⸚e** resistance

widerstandslos without resistance

widerstehen, a, a resist

wie how, as, like

wieder again

die **Wiedergeburt** rebirth

wiederholen repeat

wieder-kehren return, come back

wiederum once again

die **Wiese, –n** meadow

wild wild; **das Wild** game

die **Willkür** arbitrary action, arbitrary will

willkürlich arbitrary

winzig tiny

wirken work, have an effect

wirklich real

die **Wirklichkeit, –en** reality

wirksam effective

die **Wirksamkeit** effectiveness; activity

die **Wirkung, –en** effect

die **Wirtschaft** economy

wirtschaftlich economic

wissen, u, u know

wissenschaftlich scientific

der **Witz, –e** wit, joke

witzig witty

die **Woche, –n** week

woher from where

wohl well; probably

das **Wohl** well-being, welfare

der **Wohlstand** well-being, welfare

wohltätig beneficent, charitable

wohnen live, stay

wohnlich habitable, comfortable

die **Wohnung, –en** dwelling, house, apartment

die **Wolke, –n** cloud

wollen want to

das **Wort, –e** word

die **Wunde, –n** wound

das **Wunder, —** wonder, miracle

wunderbar wonderful, marvelous

sich wundern be surprised

wünschen wish

die **Würde** dignity

würdig worthy, dignified

würdigen deem worthy, appreciate

die **Wurst, ⸚e** sausage

die **Wut** rage, fury

wüten rage

wütend furious

Z

zäh tough

zahllos countless

zahlreich numerous

zart tender, delicate, frail

zauberhaft enchanting

das **Zeichen, —** sign, signal

die **Zeile, –n** line

die **Zeit, –en** time

die **Zeitnähe** closeness to the times

die **Zeitschrift, –en** magazine

die **Zeitung, –en** newspaper

die **Zelle, –n** cell

das **Zelt, –e** tent

zerbrechen, a, o break to pieces, shatter

zerfallen, ie, a fall to pieces, crumble

zerreißen, i, i tear to pieces, tear up

zersetzen break up, disintegrate

zerstören destroy

ziehen, o, o pull, draw, move, march

das Ziel, -e goal, purpose

ziemlich rather

das Zimmer, — room

zittern tremble, shake

zögern hesitate

der Zorn anger, wrath

zu to, at; too; for

zuerst at first, first

der Zufall, ⁻e coincidence

zufällig by chance, accidental

zufrieden satisfied, contented

der Zug, ⁻e train; expression, feature

zu-gehen auf, i, a go toward, approach

zugleich at the same time

zugute-kommen, a, o benefit

das Zuhause home

zu-hören listen

die Zukunft future

zu-machen close

zunächst first of all, for the time being

zunichte machen destroy; zunichte werden be destroyed

zurück back

zurück-schrecken frighten away, shrink back

zu-rufen, ie, u call to

zusammen together

der Zusammenhang, ⁻e connection

zusammen-schlagen, u, a close

der Zuschauer, — spectator

zu-sehen, a, e watch

der Zustand, ⁻e condition, situation

zu-stecken give secretly, slip

zutiefst most deeply

zuverläßig dependable

zuvor before, previously, ahead

zuvor-kommen, a, o get ahead of

zuweilen at times

der Zwang force, compulsion

die Zwangsarbeit, -en forced labor

zwangsweise by force

zwar to be, sure, indeed

der Zweck, -e purpose

der Zweifel, — doubt

zweifellos doubtless

zweifeln doubt

der Zweig, -e branch

zwiespältig divided

zwingen, a, u force

zwischen between